SANDRA BROWN

ГРЯЗНЫЕ ИГРЫ
ДЫМОВАЯ ЗАВЕСА
АЛИБИ
БЕЗЗВУЧНЫЙ КРИК
ЗАЛОЖНИЦА
ИСПЫТАНИЕ
СОКРОВЕННЫЕ ТАЙНЫ
КАК ДВЕ КАПЛИ ВОДЫ
ЖАР НЕБЕС
РИКОШЕТ
ЛИВЕНЬ
ПРАЙМ-ТАЙМ
РАСПЛАТА
МАРДИ ГРА
СМЕРТЬ В НОЧНОМ ЭФИРЕ
ТА, КОТОРОЙ НЕ СТАЛО
СВИДЕТЕЛЬ
НЕТ ДЫМА БЕЗ ОГНЯ
ТЕХАС! ЛАКИ
ТЕХАС! СЕЙДЖ
ТЕХАС! ЧЕЙЗ
СЦЕНАРИСТ
ЗАВИСТЬ
УБИЙСТВЕННЫЙ ЗНОЙ
ТРУДНЫЙ КЛИЕНТ
ФАКТОР ХОЛОДА
ШАРАДА
ЭКСКЛЮЗИВ
ФРАНЦУЗСКИЙ ШЕЛК
НА ЗАКАТЕ
НОВЫЙ РАССВЕТ
ЖАЖДА
МУЖСКИЕ КАПРИЗЫ
ЖЕНСКИЕ ФАНТАЗИИ
СМЕРТЕЛЬНО ВЛЮБЛЕННЫЙ
МИСС ПАИНЬКА
ПАРК СОБЛАЗНОВ
ЗАВТРАК В ПОСТЕЛИ
СЛАДКАЯ БОЛЬ
НЕ ПРИСЫЛАЙ ЦВЕТОВ
ПОХИЩЕНИЕ ПО-АМЕРИКАНСКИ
ТЕНИ ПРОШЛОГО

#1 NEW YORK TIMES — BESTSELLING AUTHOR

САНДРА БРАУН

ТЕНИ ПРОШЛОГО

ЭКСМО
МОСКВА
2013

УДК 82(1-87)
ББК 84(7США)
Б 87

Sandra Brown
SHADOWS OF YESTERDAY

By arrangement with Maria Carvainis Agency, Inc.
and PRAVA I PEREVODI LTD.
Translated from the English SHADOWS OF YESTERDAY

First published in the United States by Berkley/Jove
under the title RELENTLESS DESIRE
Reprinted by Warner Books, Inc., New York
under the title SHADOWS OF YESTERDAY

Перевод с английского *И. Крупичевой*

Художественное оформление *В. Безкровного*

Ранее роман издавался под названием «Пламя страсти».

Браун С.

Б 87 Тени прошлого / Сандра Браун ; [пер. с англ. И. Ю. Крупичевой]. — М. : Эксмо, 2013. — 320 с. — (Сандра Браун. Мировой мега-бестселлер).

ISBN 978-5-699-65259-4

В жаркий августовский день на безлюдном шоссе у Ли Брэнсом внезапно начались роды. Сама судьба послала ей на помощь Чеда Диллона. Он помог малышке появиться на свет и, гордый выполненной миссией, простился с новой знакомой, как ему казалось, навсегда...

УДК 82(1-87)
ББК 84(7США)

ISBN 978-5-699-65259-4

1

то случилось, мэм? Могу я вам помочь?

Ли Брэнсом увидела мужчину только тогда, когда он постучал в стекло ее машины. Терзаемая сильной болью, молодая женщина не замечала ничего вокруг. На звук его голоса она подняла голову, с трудом оторвав руки от руля, в который она непроизвольно вцепилась, и снова застонала. Мужчина, готовый прийти ей на помощь, не был похож на спасителя в сверкающих рыцарских доспехах.

— С вами все в порядке? — снова спросил незнакомец.

Нет, с Ли совсем не все было в порядке, но ей не хотелось признаваться в этом незнакомцу — грубоватому на вид мужчине. Он вполне мог оказаться преступником, а на пустынном шоссе в этот жаркий августовский день, кроме них двоих, не было ни одной живой души. Мужчина футов шести ростом был не слишком-то опрятен, его рубашка была в пятнах грязи и потеках пота. Широкий ремень с латунной пряжкой с гербом Техаса оказался как раз на уровне глаз Ли, когда незнакомец наклонился к дверце, чтобы взглянуть на женщину. Вытертые джинсы и клетчатая рубашка с короткими рукавами не скрывали мускулистой мощной фигуры. Видавшая виды ковбойская шляпа отбрасывала мрачную тень на его лицо. Пытаясь справиться с приступом боли, Ли ощутила, как страх холодной рукой сдавил ей сердце.

«Если бы не эти его темные очки, я бы по крайней мере смогла увидеть выражение его глаз», — подумала она.

Словно угадав ее мысли, мужчина снял очки, и на Ли взглянули невероятно синие глаза, каких ей еще никогда не доводилось видеть. Она не заметила в них ни опасности, ни неприязни, и у нее отлегло от сердца. Мужчина, конечно, выглядит невероятно грязным, но определенно не кажется опасным.

— Я не причиню вам вреда, мэм. Я только хотел узнать, не могу ли я вам помочь. — Ли услышала искреннюю заботу в голосе «ковбоя», который, как и его глаза, внушал удивительное доверие.

Новая схватка опоясала ее, словно огненный обруч. Ли закусила губу, пытаясь сдержать вопль боли, и сжалась в комок, снова уронив голову на руль.

— Черт побери, — услышала она встревоженное восклицание, и дверца мгновенно распахнулась. Мужчина увидел огромный живот Ли и присвистнул сквозь зубы. — Каким ветром вас занесло сюда одну, да еще в таком положении? — изумился он и швырнул свои очки на приборную доску малолитражки.

Ли тяжело дышала, пытаясь сосчитать секунды, которые длилась схватка. Вопрос незнакомца был явно риторическим, он и не ждал от нее ответа. Он положил горячую сухую руку на ее холодное, влажное от пота плечо.

— Не тужьтесь пока, хорошо? Дышите спокойнее. Так лучше? — спросил он, когда Ли глубоко вздохнула и откинулась на сиденье.

— Да, — выдохнула она. Женщина на мгновение закрыла глаза, чтобы собраться с силами и с достоинством взглянуть на незнакомого мужчину, оказавшегося рядом как раз в тот момент, когда у нее начались роды. — Спасибо.

— Черт побери, да я еще ничего и не сделал. Чем вам помочь? Куда вы ехали?

— В Мидлэнд.

— И я направлялся туда же. Хотите, я вас туда отвезу?

Ли быстро опасливо покосилась на него. Мужчина поставил ногу на подножку ее машины, его бедро оказалось между Ли и дверцей, одна загорелая рука лежала на спинке сиденья, другая — на руле. Но теперь, когда темные очки не скрывали его синих глаз, Ли увидела в них сострадание. И если верна пословица, утверждающая, что глаза — это зеркало души, то она вполне могла доверять этому человеку.

— Я... Я думаю, что так и в самом деле будет лучше.

— Пожалуй, я поведу вашу машину, а свой грузовичок оставлю тут... О господи, неужели опять?

Ли почувствовала приближение схватки еще до того, как боль захлестнула ее. Она обхватила руками живот и постаралась глубоко дышать, заставляя себя расслабиться и контролировать ситуацию. Когда боль отпустила ее, она тяжело осела на сиденье.

— Мэм, до Мидлэнда еще около сорока миль. Нам туда не успеть. Когда у вас начались схватки? — мужчина говорил мягко, спокойно.

— Я остановила машину сорок пять минут назад. У меня и до этого были боли, но я решила, что это по другой причине.

Его красиво очерченные яркие губы чуть дрогнули в улыбке, и Ли заметила морщинки в уголках глаз, которые возникают от частого смеха.

— И никто не остановился, чтобы помочь вам?

Ли покачала головой:

— Мимо проехали только две машины, но они, увы, даже не сбавили скорость.

Мужчина оглядел ее серебристо-синюю, под цвет глаз хозяйки, малолитражку и спросил:

— Вы сможете идти? Если нет, то я вас понесу.

Куда это он собрался ее нести? Мужчина прочитал этот вопрос в ее глазах.

— Вы можете лечь в кузове моего пикапа. Это, конечно, не родильная палата, но малышу там понравится, тем более что ничего лучшего он не видел.

На этот раз он улыбнулся по-настоящему. Сверкнули белоснежные зубы. Лучики морщинок казались очень светлыми на загорелой коже. И Ли поняла, что при других обстоятельствах она бы нашла это лицо очень привлекательным.

— Думаю, что я смогу идти. — Она начала поворачиваться на сиденье, и мужчина предусмотрительно сделал шаг в сторону. Когда Ли встала, его крепкая рука обхватила ее когда-то такую тонкую талию. Она с благодарностью прижалась к нему.

Медленно, осторожно они двинулись по шоссе. Удушливая жара горячими волнами налетала из восточных районов Техаса. Ли едва могла вдыхать раскаленный воздух.

— Держитесь. Осталось совсем чуть-чуть. — Его дыхание коснулось ее влажной щеки.

Ли сосредоточила все внимание на ногах. Длинноногий мужчина довольно забавно пытался подладиться под ее короткие неуверенные шаги. Пыль от засыпанной гравием обочины поднималась клубами, покрывая и ее пальцы с отличным педикюром в открытых сандалиях, и потрескавшуюся кожу его видавших виды ковбойских сапог.

Пикап оказался таким же грязным, как и его владелец, и был покрыт тонким слоем пыли. Некогда окрашенная в бело-голубой цвет машина словно вылиняла под ярким солнцем, проливными дождями и ветрами Техаса и теперь приобрела скорее серовато-бежевый оттенок. Перед ней был настоящий драндулет, но Ли с облегчением заметила, что на бампере не оказалось никаких непристойных или угрожающих надписей.

— Обопритесь на машину, пока я открою кузов, — велел ей мужчина, прислоняя Ли к бортику машины. Стоило ему только отойти, как новая схватка чуть не свалила ее с ног.

— Ой! — крикнула Ли, инстинктивно потянувшись к мужчине.

Его рука обхватила ее за плечи, а мозолистая ладонь поддержала напрягшийся живот снизу.

— Хорошо, хорошо, я рядом, не волнуйтесь.

Ли спрятала лицо у него на груди, пока схватка раздирала ее. Казалось, она никогда не кончится, но наконец боль стала затихать. Ли услышала собственное подвывание.

— Вы можете стоять?

Она кивнула.

Звяканье, шум металла, и вот он уже вернулся к ней и, нежно поддерживая, подвел к задней части пикапа. Ли села, прислонившись спиной к стенке, пока мужчина торопливо расстилал на полу брезент. Он тоже не выглядел чистым, но казался все-таки лучше, чем проржавевшее днище. Мужчина негромко выругался и что-то укоризненно сказал себе под нос, разворачивая зеленое армейское одеяло.

— А теперь ложитесь. — Он помог Ли, придерживая ее за плечи. — Так вам будет удобнее.

И Ли в самом деле почувствовала, что ей стало удобнее на ровной твердой поверхности. Ей было неважно, что одеяло было горячим. Ее тело покрылось потом, и открытое летнее платье стало влажным и противно липло к коже.

— Вы ходили на специальные занятия, где учат дышать и тому подобное?

— Да, правда, не так регулярно, как собиралась, но кое-чему я научилась.

— Делайте все, что вспомните, — убежденно сказал «ковбой». — В вашей машине есть что-нибудь, что может пригодиться?

— У меня есть спальный мешок. В нем хлопковая ночная рубашка. В отделении для перчаток есть коробка косметических салфеток «Клинекс». — Ее мать могла бы гордиться своей дочерью, с горечью подумала Ли. Сколько она себя помнила, Лоис все время твердила ей, что у настоящей леди всегда должен быть при себе бумажный носовой платок.

— Я сейчас вернусь.

Мужчина перепрыгнул через борт пикапа, и Ли невольно отметила про себя, с какой ловкостью он двигается, несмотря на высокий рост и внушительные размеры. Когда он снова предстал перед ней, ее ночная рубашка свисала с его плеча, словно тога римлянина. Он протянул ей коробку с косметическими салфетками.

— Эту газету я купил только сегодня утром. Как-то раз я видел в кино, что газеты могут пригодиться при родах. Что-то там такое говорили, будто на них нет бактерий. В любом случае, может быть, вам захочется подстелить ее... гм... вниз. — Мужчина протянул Ли сложенную непрочитанную газету, быстро повернулся к ней спиной и снова спрыгнул с машины.

Ли сделала так, как он ей сказал, сгорая от стыда. Но ее смущение немедленно исчезло, сметенное новой волной боли. Мужчина тут же оказался рядом, встал на колени возле нее и взял ее ладонь в свои.

Женщина дышала и смотрела на часы на его левом запястье. Они были из нержавеющей стали со множеством делений и очень громко тикали. Дорогой сложный механизм никак не вязался с заляпанными грязью ковбойскими сапогами и грязной одеждой. Взгляд Ли остановился на длинных тонких пальцах незнакомца, и она увидела, что обручального кольца он не носит. Неужели ее ребенка примет мужчина, который не только не был доктором, но которому к тому же не доводилось становиться отцом?

— Вы женаты? — спросила Ли, когда боль чуть отпустила.

— Нет. — Мужчина снял ковбойскую шляпу и бросил на пол. Волосы у него оказались темными и длинными.

— Тогда эта ситуация должна быть для вас просто ужасной. Простите, что так получилось. Я очень сожалею.

— Да что там! Мне приходилось бывать в переделках и посложнее.

Он одобряюще улыбнулся ей, сунул руку в задний карман джинсов, достал косынку-бандану и повязал ее, чтобы пот не заливал ему глаза. И Ли с изумлением увидела, насколько мужчина красив. Он расстегнул рубашку, пытаясь хоть как-то спастись от жары. На загорелой груди вились мягкие темные волосы. Чувственные губы крупного рта были приоткрыты, ровные зубы были ослепительно-белы.

Мужчина достал салфетку и вытер пот со лба Ли.

— Только в следующий раз выбирайте денек попрохладнее, — поддразнил он женщину, пытаясь вызвать ее улыбку.

— Это все Дорис Дэй, — сказала Ли.

— Не понял?

— Был такой фильм с Дорис Дэй в главной роли. Джеймс Гарнер играл роль ее мужа. В фильме он был акушером. Арлен Фрэнсис рожала в «Роллс-Ройсе», а Дорис Дэй помогала ему принимать ребенка.

— Это тот самый фильм, в котором он въехал на своей машине прямиком в бассейн?

Ли рассмеялась.

— Точно!

— Кто бы мог подумать, что этот фильм станет учебным пособием? — Мужчина вытер салфеткой шею Ли.

— Как вас зовут?

— Чед Диллон, мэм.

— А я Ли Брэнсом.

— Рад познакомиться, миссис Брэнсом.

Когда началась следующая схватка, было уже не так ужасно, потому что умелые руки Чеда массировали ее вздувшийся болезненный живот. Схватка не прекращалась, и Чед сказал:

— По-моему, уже скоро. Какая удача, что у меня в кабине есть термос с водой. Я смогу вымыть руки.

Он принес воду и тщательно смыл грязь с рук.

— Чем вы сегодня занимались? — тактично поинтересовалась Ли, пытаясь выяснить, где он сумел так перемазаться.

— Я возился с мотором самолета.

Так, значит, он механик. Забавно, а ей не показалось, что он так уж силен в технике...

— Вам лучше снять нижнее белье, — мягко сказал Чед.

Ли закрыла глаза. Ей было стыдно смотреть на него. Если бы только Чед не был таким привлекательным мужчиной, может быть, она бы нс так смущалась.

— Не стоит меня стесняться. Раз уж так все вышло, мы должны помочь ребенку появиться на свет — это главное.

— Простите, — пробормотала Ли. Она подняла платье. Из-за жары она не стала надевать лифчик и колготки, так что ей нужно было снять только трусики. С помощью Чеда она избавилась от них.

— Может быть, вам будет лучше без сандалий? — спросил он.

— Нет, они не мешают, Чед... — И Ли снова вскрикнула от боли.

Он быстро наклонился.

— Я вижу головку, — с довольным смешком объявил Чед. — Что вы теперь должны делать, мэм? Тужиться, или как это называется?

Тяжело дыша, Ли тужилась изо всех сил.

— Очень хорошо, — подбадривал ее Чед. — Вы отлично справляетесь, мэм. — Его низкий спокойный голос лился словно бальзам на ее истерзанные внутренности. — Уже очень скоро, Ли. — Чед снова вытер ей пот салфеткой. Бандана, которую он повязал, тоже промокла от пота. Тыльной стороной руки он вытер переносицу. Волосы на груди завились колечками.

Он быстро достал складной нож из кармана, вымыл его водой из термоса, а потом отрезал тоненькую бретельку от ночной рубашки Ли.

— Вы просто удивительная женщина, вы знаете об этом? Многие бы сейчас орали во все горло и проклинали бы весь белый свет. Вы самая отважная женщина из всех, кого мне доводилось встречать.

«Нет, нет, никакая я не отважная!» — хотелось крикнуть Ли. Он не должен считать ее такой. Она обязана рассказать Чеду, какая она на самом деле трусиха. Но Ли не успела произнести ни слова, Чед заговорил снова:

— Ваш муж будет вами гордиться.

— У... У меня нет мужа, — пролепетала она сквозь стиснутые зубы, потому что боль снова не давала ей дышать.

Чед в изумлении уставился на нее, но искаженные мукой черты ее лица встревожили его. Он посмотрел вниз, и его глаза засияли от радости.

— Вот так, просто замечатсльно. Еще чуть-чуть. Головка вышла! — воскликнул он. — Давайте, Ли, вы отлично справляетесь. Сейчас появятся плечики. Вот и они. Все! Слава богу! — Его умелые руки приняли новорожденного, который тут же захныкал. — Ну-ка, посмотрим, кто тут у нас. Ага, замечательная красивая девочка!

Слезы облегчения текли по щекам Ли. Она смотрела на склонившегося над ней мужчину.

— Я хочу взглянуть на нее, — еле выговорила она. — С ней все в порядке?

— Она... Она само совершенство, — с гордостью сказал Чед. — Одну минуту, я только перевяжу пуповину. — Ли почувствовала, как крошечные кулачки и пятки колотят ее,

Чед обежал машину кругом, уселся за руль и завел мотор.

— Кондиционер очень быстро охладит воздух, — успокоил он. — Я бы лучше отвез вас на своей машине, но в ней вас будет сильно трясти. И потом, там полно всякого хлама.

— Все отлично, но как вы потом заберете ваш пикап?

— Это меня не слишком волнует. Но, впрочем, посидите минутку, я все-таки его закрою.

Чед и в самом деле вернулся через минуту. Он долго усаживался, пытаясь пристроить свои длинные ноги.

— Это сиденье отодвигается назад? — спросил он.

— Да.

Чед нашел нужный рычаг, а потом отклонил немного назад спинку сиденья Ли.

— Думаю, так вам будет комфортнее.

Удостоверившись, что женщине и ребенку удобно, он снова надел свои черные очки. Ковбойская соломенная шляпа осталась в грузовичке, зато бандана по-прежнему красовалась у него на голове. Правда, пуговицы на рубашке он застегнул.

— Чед, будьте добры, передайте мне мою сумку с заднего сиденья. Надо, наверное, во что-то завернуть малышку.

— Разумеется, — ответил он, покосившись на голенькое тельце новорожденной. Протянув руку назад, он достал маленький чемоданчик и передал его Ли. — Устроились? Всем удобно?

— Спасибо, все нормально.

Ли улыбнулась ему, и Чед ободряюще улыбнулся ей в ответ. Ей показалось, что он хотел что-то сказать, но передумал. Маленькая машина, преодолев каменистую обочину, выехала на шоссе. От тряски вернулась тупая боль, и Ли закусила губу.

— Прошу прощения. Я знаю, что вам больно. Но мне показалось, что у вас не слишком сильное кровотечение. Я думаю, все будет хорошо, как только вам окажут необходимую помощь.

Ли порылась в сумке и нашла свою старенькую мягкую футболку. В нее она и завернула девочку.

— Хорошо, что я взяла ее с собой, — удовлетворенно заметила она.

— Откуда вы едете, вернее, куда направляетесь?

— Я была в Абилене. Вчера вечером состоялась свадьба моей подруги — бывшей сокурсницы. Я взяла свое лучшее платье для беременных, чтобы надеть на свадьбу, — Ли кивком указала на пакет с платьем, висевший на крючке у заднего сиденья. — Но я знала, что, когда мы все собираемся вместе, праздник очень быстро превращается в «ночной девичник». Так что я захватила с собой и вещи попроще, чтобы чувствовать себя уютно.

Чед с усмешкой взглянул на оранжевую футболку с маркой Техасского университета, в которую Ли завернула девочку.

— Это была рука Провидения. — Потом он снова стал серьезным. — Но вы здорово рисковали, когда пустились в путь в одиночестве. Когда вы ожидали появления ребенка?

— Не раньше чем через две недели. Но вы правы. Я сама напрашивалась на неприятности. Мне так хотелось попасть на эту свадьбу, но со мной некому было поехать, так что... — Она не договорила.

— Почему вы не остались на автостраде Ай-двадцать? Она ведет от Абилена прямо до Мидлэнда.

— Я завозила домой подругу, которая тоже была на свадьбе. Она живет в Тарзане. Мне ужасно хотелось увидеть город Тарзан в штате Техас. Представляете, какая экзотика?

— Ну и как вам показался город?

— Ничего особенного, можно было и не заезжать. Схватки начались совершенно неожиданно, уже после того, как я оттуда уехала.

Чед чертыхнулся, но не зло.

Ли посмотрела на свою крохотную дочку.

— Я только молю бога, чтобы с девочкой все было в порядке.

— С легкими у нее определенно все в порядке, — засмеялся Чед. Малышка громко плакала. Личико у нее покраснело, крохотные ручки и ножки били мать.

Ли забеспокоилась, что этот крик будет действовать Чеду на нервы, и опасливо взглянула на него. Но он полностью сосредоточился на дороге, хотя на шоссе не было ни единой машины. «Что было бы со мной и моим ребенком, если бы Чед просхал мимо, как и все остальные?» — подумала Ли, перекладывая ребенка поудобнее.

До Мидлэнда оставалось еще больше двадцати миль, когда малышка раскричалась не на шутку. Ли посмотрела на Чеда. Тот встретился с ней взглядом. Он остановил машину прямо посередине пустынной дороги.

— Что мне делать? — встревоженно спросила Ли. Но что может этот мужчина знать о детях? Ведь он даже не женат. И все-таки она повернулась к нему, словно только он мог подсказать ей ответ.

Чед почесал в затылке, убрал со лба выгоревшую прядь волос.

— Не знаю... А может, вам следует покормить ее?

Ли была благодарна тому, что неяркий свет лиловых сумерек скрыл краску смущения на ее щеках.

— У меня еще несколько дней не будет молока...

— Я знаю, но, может быть, все-таки вы дадите ей грудь... Ну, чтобы она успокоилась... — Чед пожал плечами.

Девочка запищала громче. Голубые ниточки вен на головке проступили отчетливее, крохотные кулачки толкались в грудь матери. Чед сам принял решение. Он решительно протянул руку, спустил бретельку платья с плеча Ли. Не в силах взглянуть на него, женщина дернула плечом, ткань упала, обнажая грудь. Поддерживая грудь одной рукой, она поднесла сосок к сердитому личику дочери. С удивительной точностью крохотный ротик жадно обхватил коричневый сосок.

И вдруг Ли и Чед одновременно рассмеялись. Девочка шумно, жадно сосала. Когда Ли взглянула на Чеда, тот смотрел не на ребенка, а на нее. И этот взгляд прервал ее смех.

В глазах Чеда светилось такое восхищение, что женщина поняла, что даже такая — растрепанная, измученная, полураздетая — она кажется ему красивой. И слова Чеда подтвердили это.

— Ли, вам очень идет материнство, — серьезно сказал он. — Вы удивительно красивы. Ваши чудесные каштановые волосы, сине-серые глаза, которые цветом напоминают грозовые тучи, ваш рот, мягкий и розовый, как у вашей малютки, и особенно выражение вашего лица, когда вы смотрите на дочь... Вы напоминаете мне мадонну с картин итальянских мастеров пятнадцатого века. Только вы такая живая, естественная. — Чед не сводил с нее одобрительного взгляда.

Ли пристально смотрела на Чеда. Как только ей могло прийти в голову, что этот мягкий, внимательный человек может представлять для нее угрозу? Она ведь сначала разглядела только грязную одежду, щетину на подбородке, струйки пота на щеках. Но эта нежность в его глазах... Его руки, пусть и покрытые мозолями, оказались уверенными, сильными и ласковыми. Но тут Ли вспомнила, какой он видел ее, и в смущении опустила длинные темные ресницы.

Она смотрела на девочку, когда увидела, что рука Чеда протянулась к ее ребенку. Ли затаила дыхание. Длинный тонкий палец дотронулся до бархатистой щечки, погладил, коснувшись при этом и белоснежной груди Ли.

— Как вы собираетесь ее назвать?

— Сара, — без колебаний ответила Ли.

— Мне нравится это имя.

— Правда? — удивилась Ли и снова посмотрела на него. — Так звали мою свекровь. Она была замечательной женщиной. Сара Брэнсом всегда относилась ко мне как к дочери.

Чед так быстро убрал руку, словно обжегся.

— Мне казалось, вы говорили, что вы не замужем.

— Да, теперь я не замужем. Я вдова. Моего мужа убили.

Чед молчал, глядя вперед — на дорогу, на заходящее солнце — красный диск в конце автострады.

— Простите, Ли, — сказал он. — Как давно это случилось?

— Восемь месяцев назад. Он даже не знал, что я беременна. Муж работал в отделе по борьбе с наркотиками. Его убили во время рейда. У его матери было слабое сердце, и она ненадолго пережила сына. Но именно моя свекровь помогла мне справиться с болью утраты, поддержала в первые, самые трудные недели, хотя ей и самой было очень тяжело. Грег был ее единственным сыном, она так его любила!

Чед подавил тяжелый вздох. Он снова посмотрел на девочку. Она спала, лишь иногда делая сосущее движение ротиком, напоминающим розовый бутон.

— Я думаю, что, несмотря на все, что случилось, вашей свекрови повезло с вами, — пробормотал он и снова завел мотор. — Она бы гордилась вами, — добавил Чед чуть громче, перекрывая шум мотора.

Потом Ли задремала. Она проснулась только тогда, когда Чед уже подъезжал к больнице. Он несколько раз нажал на клаксон, потом остановил машину. Повернувшись к Ли, он взял у нее девочку.

— Вам лучше будет поправить платье, — коротко сказал он. Ли торопливо поправила бретельку. Чед вернул ей ребенка. — Ждите здесь, я сейчас. — И он вышел из машины.

Через минуту перед ней предстал совсем другой Чед Диллон, как генерал отдающий приказы засуетившимся санитарам и сестрам, выбежавшим на шум. Дверца машины распахнулась, у Ли забрали ребенка. Потом ее саму уложили на каталку. Во время путешествия от машины до смотровой у нее закружилась голова и ее затошнило. Ее переложили на стол, ноги положили на холодные металлические стойки.

Где ее ребенок? Ей больно. Почему кровь течет у нее по бедрам? Откуда они знают ее имя? Ей больно, когда ее щупают и осматривают. Кто этот доктор, уговаривающий ее не волноваться? Зачем ей делают укол?

Где же Чед?

Чед...

— Ли?

Ей очень хотелось спать. Она с трудом открыла слипающиеся глаза. В комнате было темно. Когда Ли пыталась пошевелить ногами, в промежности возникало странное, болезненное, тянущее ощущение. Лицо горело, кожу пощипывало. Постепенно Ли сообразила, что чья-то ласковая рука нежно убирает со лба ее волосы. Она чувствовала себя так, словно ее избили. Ли заставила себя поднять веки и увидела перед собой красивое встревоженное лицо Чеда Диллона.

— Ли, я ухожу. Жаль было будить вас, но я уезжаю, вот зашел попрощаться.

— Где Сара?

— С ней все хорошо, — улыбнулся Чед. — Я только что видел ее. Она пока лежит в кювезе, но меня заверили, что девочка крепкая и здоровая. С легкими никаких проблем. Все отлично.

Ли на мгновение закрыла глаза, чтобы поблагодарить бога.

— Когда я ее увижу?

— Когда вы отдохнете как следует. Вам досталось, бедняжка! — Теплая ладонь Чеда на мгновение коснулась щеки Ли.

Смущенная и растерянная, женщина обвела глазами палату и увидела огромный букет желтых роз на столике в ногах кровати.

— Цветы? — Она вопросительно посмотрела на Чеда.

— У молодой матери обязательно должны быть цветы.

На глаза Ли навернулись слезы, хотя она изо всех сил старалась не расплакаться. Эти розы наверняка стоили целое состояние, а Чеду, судя по всему, даже новые сапоги были не по карману.

— Спасибо. Мне ужасно приятно, Чед, но не стоило тратиться. Мне так неловко, но если бы не вы... — Ли умолкла, пытаясь справиться с волнением.

Чед смущенно, как мальчишка, опустил голову.

— Врач, который вас осматривал, позвонил вашим родителям в Биг-Спринг. Я нашел их адрес и номер телефона в вашем бумажнике. Помните, у вас есть карточка «Звонить при несчастном случае». Они уже едут сюда. Я сказал врачу, где поставил вашу машину. Ключи у старшей сестры. Благодаря вашему страховому полису вас с Сарой без всяких проблем приняли в этой больнице. Ваш лечащий врач навестит вас утром, но мне сказали, что вы нуждаетесь только в отдыхе. Я не думаю, что причинил вам слишком большой вред. Как вы себя сейчас чувствуете?

— Так, словно я родила ребенка в кузове пикапа, — Ли попыталась улыбнуться. — И у меня горит лицо.

Чед усмехнулся.

— Оно обгорело на солнце.

— Серьезно?

— Вполне. Хотите смазать кожу лосьоном? Сестра оставила флакон на тумбочке.

— Это вас не затруднит? — вопрос был совершенно идиотским, учитывая то, что́ Чед уже для нее сделал, и выражение его лица было весьма красноречивым.

Он налил немного лосьона на ладонь, а потом пальцем другой руки аккуратно смазал обожженные лоб, нос и скулы Ли. Его прикосновение было таким мягким, пальцы скользили по лицу Ли, равномерно нанося прохладную жидкость. Его глаза следовали за его рукой. Брови, скулы, подбородок, нос — он внимательно рассмотрел все, пока мазал кожу лосьоном. Его палец чуть тронул уголок ее губ. Он застыл, их взгляды встретились. У Ли замерло сердце и забилось только тогда, когда Чед двинулся дальше. Он закончил очень быстро.

— Теперь, кажется, полегче, — констатировала Ли, пока Чед закручивал крышку на флаконе. Ли сама удивлялась своему волнению. Откуда вдруг столько эмоций? Неужели все матери так чувствительны? Ей вдруг отчаянно захотелось заплакать.

— Рад был оказать вам услугу, мэм, — весело улыбнулся Чед, но его слова прозвучали странно торжественно.

Ли увидела, как дрогнули его губы, но, возможно, ей это только показалось.

— Вы были... — Она судорожно глотнула, пытаясь избавиться от комка в горле. — Я просто не представляю, что бы я стала делать без вас. Спасибо вам, Чед.

— Спасибо вам, Ли, за то, что вы доверились мне. Я желаю вам и Саре всего самого наилучшего. — Чед выпрямился, развернулся и сделал несколько шагов к двери, потом вдруг остановился. Он резко нагнул голову, словно кто-то ударил его. Мужчина пристально рассматривал кафельный пол, словно ответ на мучивший его вопрос был написан там. Вдруг он стремительно повернулся и мгновенно преодолел разделявшее их расстояние.

Он снова нагнулся к Ли, опираясь о кровать сильными руками.

— Ли, — позвал он ее и прижался губами к сс губам. Нежно, петоропливо, Чед поцеловал ее. А потом он стремительно пересек пространство до двери и исчез во тьме больничного коридора. Дверь закрылась.

Из глаз Ли хлынули слезы, и она уткнулась в жесткую больничную подушку, пытаясь не разрыдаться в голос. Господи! Да что же с ней такое делается?!

2

ы уверен, папа? Чед Диллон. Ты проверил как следует?

— Да, Ли. Я попросил оператора проверить все, но она клянется, что такого человека нет в телефонном справочнике.

Сидя в кровати у себя дома, Ли недоуменно нахмурилась.

— Я хотела как-то отблагодарить его. Но мне и в голову не пришло спросить его адрес или номер телефона.

— А ты уверена, что он живет в Мидлэнде? — спросила Лоис Джексон, явно удивленная стремлением своей дочери во что бы то ни стало найти человека, который месяц назад помог ей при рождении ребенка, а потом словно сквозь землю провалился.

Ли задумалась, ее глаза потемнели.

— Теперь, когда ты об этом сказала, я уже не так в этом уверена. Он просто сказал, что едет в Мидлэнд. Чед ни разу не упомянул о том, что живет здесь.

— Что ж, возможно, именно поэтому ты и не можешь его найти. — Лоис выпрямилась и тяжело вздохнула. — Я буду всю жизнь благодарна этому человеку за то, что он помог появиться на свет нашей Саре. — Она восхищенно посмотрела на колыбельку в другом конце комнаты, где мирно посапывала малышка. — Но мне кажется, он не из нашего круга.

Ли едва справилась с собой. Она изо всех сил старалась не реагировать на снобизм матери, но ее плохо скрытое пренебрежительное отношение к Чеду, учитывая то, что он буквально спас и саму Ли, и Сару, казалось ей верхом неблагодарности.

— Мама, да какое мне дело, принадлежит ли он к нашему кругу или нет. Я только хотела поблагодарить его. Он явно нуждался в деньгах.

На мгновение ее мысли снова вернулись к Чеду. Ли вспомнила, как он склонялся над ней, как держал ее за руку, пока схватки разрывали ее на части. У него были такие синие глаза, необычные при такой смуглой коже и таких темных волосах. Он был сильным, мужественным и удивительно нежным. Говорил он, как человек, получивший образование. Чед даже сравнил Ли с мадонной с картин итальянских мастеров.

Акушер в больнице говорил об аккуратности и добросовестности Чеда. Ли вспомнила о газете, о влажных салфетках, которыми он протирал ей лицо и шею, о его предусмотрительности и доброжелательности.

Но получалось так, что Ли никак не могла отблагодарить Чеда, потому что его невозможно было разыскать. Чеду Диллону суждено остаться неразгаданной тайной, и это огорчало молодую женщину. Все чаще и чаще она ловила себя на том, что думает об этом человеке, так своевременно и неожиданно возникшем на ее пути.

Она тяжело вздохнула. Родители восприняли ее огорчение как признак утомления и забеспокоились.

— Отдохни, Ли, — сказал отец. — Пойдем, Лоис, пусть девочка поспит.

— Возможно, нам не следует уезжать завтра? Саре ведь всего месяц. Может быть, ты хочешь, чтобы мы пожили у тебя еще немного?

— Нет, — резко ответила Ли, но тут же смягчила свой отказ: — У меня все в полном порядке. Честное слово. Вы и так провели со мной целый месяц. Вы же видите, Сара просто образцовый ребенок. Она не просыпается по ночам. И я, надеюсь, смогу брать ее с собой на работу на те несколько часов, когда там требуется мое присутствие. Мы отлично с ней справимся. И потом, от Биг-Спринга до Мидлэнда не так далеко, и вы сможете приезжать, когда захотите.

Глаза Лоис наполнились слезами.

— Я просто не могу поверить, что все это случилось именно с тобой, Ли. Почему Грег позволил себя застрелить? Почему ты осталась одна в двадцать семь лет, вдовой с ребенком на руках? Я так просила тебя переехать к нам после гибели Грега. Ты жила бы дома, с нами, и тогда моя внучка не родилась бы на обочине автострады. Ты сама навлекаешь на себя несчастья.

И Лоис разрыдалась. Харви Джексон обнял жену и вывел из комнаты. У порога он обернулся к дочери:

— Постарайся уснуть, Ли. Отдыхай и набирайся сил, пока мы здесь.

За родителями закрылась дверь, и Ли с облегчением откинулась на подушки. Временами она забывала о своем положении. И всякий раз какая-нибудь особа, побуждаемая, конечно жс, самыми благими намерениями, как ее мать, например, напоминала ей об этом.

Иногда она так остро ощущала боль от внезапной гибели Грега, что ее почти невозможно было вынести. Ли всегда боялась, что его могут убить. У нее даже было дурное предчувствие, что так оно и случится и что смерть только ждет удобного момента. Но Ли оказалась не готовой к реальности, к внезапному и непоправимому — убийству мужа. Наверное, к страшному нельзя привыкнуть, нельзя заранее избавить себя от боли.

Вечером, как раз перед тем, как Грег погиб, они поссорились.

— Куда ты на этот раз направляешься? — поинтересовалась тогда Ли, не сводя глаз с мужа.

Он взъерошил русые волосы, его серые глаза смотрели на нее с досадой и любовью.

— Я не могу тебе сказать. Ты же понимаешь. Прошу тебя, не спрашивай.

— На границу?

— Ли, ради всего святого, прекрати устраивать подобные сцены всякий раз, когда я ухожу. — Он довольно долго возился со своим вещевым мешком. — Неужели ты думаешь, что я могу сосредоточиться на работе, если у меня из головы не идет твое залитое слезами, сердитое лицо? Еще до нашей свадьбы ты знала, чем я занимаюсь. Ты сказала, что справишься.

— Я думала, что смогу. — Ли закрыла лицо руками и заплакала. — Но у меня не получается. Я люблю тебя. Я боюсь за тебя.

Грег тяжело вздохнул. Конечно, он понимал, что Ли не могла рассчитать своих сил, терпения и мужества. Он не вправе требовать от нее этого. Грег подошел к жене и обнял ее.

— Я тоже тебя люблю. Ты же знаешь об этом. Но и мою работу я тоже люблю. Моя работа очень важна, Ли. Постарайся привыкнуть, детка.

— Я понимаю, во всяком случае, умом. Я и не прошу тебя бросить ее. Но почему бы тебе не заняться административной работой? Ты бы мог готовить облавы, но не участвовать в них. — Ли вздрогнула, когда ее взгляд упал на пистолет, лежащий на кровати рядом с коробками патронов, носками и бельем, которые муж укладывал в мешок. — Меня в дрожь бросает при мысли, что ты можешь уйти вот так, как сейчас, и не вернуться.

— Ли, я сойду с ума от бумажной работы, и тебе это отлично известно. Я хороший актер, нужен своим товарищам. И я нужен им именно в качестве тайного агента.

— Ты нужен мне, я твоя жена!

— Я нужен правительству. Я нужен ребятам из старших классов школы, которые попадают на крючок к наркодельцам. Сколько бы мы ни работали, мы ловим только мелкую рыбешку. Это заведомо проигранная битва, но я готов продолжать сражаться. Поддержи меня, Ли. Поверь мне. Я не собираюсь подставляться под пули. Ведь я знаю, что ты ждешь меня.

Ли отстранилась от него и улыбнулась дрожащими губами.

— Я всегда буду ждать тебя. Возвращайся домой поскорее целым и невредимым.

Грег горячо поцеловал ее:

— Я обязательно вернусь.

Но Грег Брэнсом не вернулся. В следующий раз Ли увидела его уже в гробу, предоставленном правительством.

Им так и не пришлось посидеть вместе за праздничным ужином, который приготовила Ли. Ей так и не удалось удивить Грега радостной новостью о будущем ребенке, которую она собиралась сообщить ему этим вечером. И тогда Ли поклялась, что никогда больше не свяжет свою судьбу с человеком опасной профессии. Преподавание в начальной школе — это самый большой риск, на который она была согласна.

Грег работал в Эль-Пасо, но вскоре после похорон Ли предложили работу в Мидлэнде. Она и раньше читала об этом бурно растущем городе на западных техасских равнинах. Мидлэнд был городом нефтяников. Там, где появлялась нефть, появлялись рабочие места и деньги, которые можно было заработать и потратить. Ли этот город показался подходящим местом для того, чтобы начать все сначала. После смерти свекрови, успевшей узнать, что ей предстоит стать бабушкой, Ли больше ничего не удерживало в Эль-Пасо.

Ее мать протестовала, уговаривала и даже плакала, умоляя дочь переехать в их большой дом в Биг-Спринг, но Ли приняла предложение и отправилась в Мидлэнд. На ее зарплату и пенсию, которую она получала за Грега, при определенной экономии, она могла нормально жить. Ли была полна решимости справиться со всем самостоятельно.

Она прислушалась к легкому дыханию ребенка, увидела, как мерно поднимается и опадает ее хрупкая спинка.

— Самое худшее уже позади, Сара. Мы справимся, — прошептала Ли.

У нее есть дом, работа, здоровый ребенок. Единственное, с чем ей предстояло сражаться, было одиночество.

— Сара, с завтрашнего дня ты садишься на диету, — тяжело вздохнула Ли, укладывая малышку в стоящую на полу колыбель. У нее выдался тяжелый день на работе, потом она заехала к миссис Янг за четырехмесячной Сарой, у которой она оставляла девочку в случае крайней необходимости, и успела заехать в супермаркет за продуктами. Устроив дочку в колыбели, женщина вернулась к машине, забрала два тяжелых пакета с продуктами и с шумом водрузила их на рабочий стол в кухне.

— Ф-фу! — выдохнула Ли, сбрасывая туфли и без сил опускаясь на кушетку. Поведение матери, казалось, забавляло девочку. Она засмеялась и в восторге замахала ручками. — Я вовсе не собиралась вас развлекать, мисс Сара, — нарочито строго произнесла Ли.

Она подошла к девочке, легонько ущипнула пухленький животик.

— За кого ты меня принимаешь, а, обезьянка? За придворного шута? — Сара радостно взвизгнула, когда мать пощекотала пухленькую детскую шейку.

Детские ручки растрепали аккуратный пучок, но распустить густые волосы матери малышке не удалось.

— Уф, — Ли со вздохом опустилась на пол возле дочери. Рубашка выбилась из-за пояса юбки. Она смеялась и пыталась отдышаться. Когда в дверь позвонили, Ли застонала.

— Тебе придется остаться здесь, — шутливо предупредила она Сару.

Женщина распахнула входную дверь, и ее руки удивленно взлетели к груди. У нее отчаянно забилось сердце. Лицо вспыхнуло. В одну секунду из уставшей женщины она превратилась в хорошенькую оживленную особу со счастливой улыбкой на лице.

— Привет!

Его невозможно было узнать! Волосы были по-прежнему довольно длинными, но они были великолепно пострижены. Темный загар не сошел с его лица, но щетина исчезла. Не было ни грязных джинсов, ни ковбойской рубашки. Их сменили фланелевые свободные брюки, светло-голубая рубашка и темно-синий блейзер. Начищенные до блеска черные туфли из мягкой кожи навели Ли на воспоминание о кошмарного вида поношенных ковбойских сапогах.

Прежними остались только глаза — синие, сияющие, притягивающие.

Нет, не одни глаза остались прежними. Ли узнала эту широкую белозубую улыбку.

— Вы меня помните?

— Раз... Разумеется, — пролепетала она. Забыть его? Как она могла! Конечно же, она помнила его. Часто, лежа в одинокой постели, Ли вспоминала его глаза, его улыбку, голос и его прощальный поцелуй. Она убеждала себя, что хочет увидеть его только затем, чтобы поблагодарить. Но сейчас, глядя в эти удивительные глаза, видя его обезоруживающую улыбку, Ли не была уже так уверена, что хотела лишь дать ему денег и еще раз сказать «спасибо». — Чед... Вы так изменились... — наконец удалось выговорить ей более или менее спокойным голосом. Она чувствовала себя неловкой и смущенной. Ей оставалось только надеяться, что Чед не догадается, что виной тому его появление.

— Вы тоже изменились. Вы теперь такая стройная.

Ли рассмеялась и оглядела себя. И только в эту минуту увидела, насколько она растрепана и растерзана. Она обеспокоенно взглянула на Чеда.

— Входите. Простите меня за такой вид. Мы с Сарой только что приехали, и я не успела переодеться...

— Вы отлично выглядите, — прервал ее извинения Чед. Он вошел в комнату и застыл на месте. — Нет, это не может быть Сара. — Он подошел к колыбели и с неподдельным интересом стал рассматривать девочку. Сара с любопытством уставилась на него. Она не только выросла и прибавила в весе. На голове у нее появились темные кудряшки, а глаза стали такими же серо-синими, как у матери.

— Это именно Сара, — с гордостью сказала Ли.

— Она настоящая красавица, — восхищенно произнес Чед. Указательным пальцем он легко коснулся лобика девочки, но мокрый кулачок немедленно захватил палец в плен. — И у нее отличные рефлексы, — засмеялся Чед. Он осторожно освободил палец из пухлой ладошки и встал. — Я ей кое-что принес.

— О, Чед, вам не стоило так беспокоиться! — воскликнула Ли и тут же смутилась. Настолько банальной ей показалась эта фраза. Она поспешила добавить: — Вы и так много сделали для Сары. Вы помогли ей появиться на свет.

— Мне захотелось ей что-нибудь подарить. Мой подарок в пикапе. Я сейчас его принесу. — Диллон вышел на улицу, оставив дверь открытой. Непослушными пальцами Ли заправила блузку, потом надела туфли. А волосы! У нее на голове просто воронье гнездо! Она чувствовала, что тяжелый каштановый пучок рассыпался по ее плечам. Вокруг лица вились непослушные пряди. Но времени привести себя в порядок у нее не осталось. Чед уже шел обратно.

— Господи, да что же это такое? — воскликнула Ли, разглядывая огромную коробку, завернутую в красивую бумагу и перевязанную лентами.

— Вам придется открыть подарок вместо Сары.

— А вы мне поможете.

Ли сняла ярко-розовую ленту с гигантской коробки и начала срывать бумагу.

— Моя мать всегда аккуратно разворачивает подарки и хранит оберточную бумагу.

Она бы упала в обморок, если бы увидела, как я с этим расправляюсь.

— Совсем невесело разворачивать подарок, если приходится думать о том, чтобы не помять бумагу, — поддержал ее Чед.

Ли подняла на него глаза и улыбнулась:

— Вы правы, я никогда раньше об этом и не задумывалась.

Сняв крышку с высокой коробки, она увидела массу белоснежной мягкой бумаги, под которой пряталось нечто пушистое, желтое с черными полосами.

— А теперь позвольте мне помочь вам, — предложил Чед.

Ли отошла в сторону и смотрела, как он вынимает из коробки гигантского тигра — длинный хвост, длинные ресницы, широкая добродушная улыбка на морде. Ли в изумлении закрыла рот руками. Это был игрушечный тигр, но в натуральную величину.

— Чед! — Ли протянула руку, чтобы коснуться роскошной игрушки. Эта «зверушка» стоит целое состояние, а Чеду такие траты определенно не по карману. Сначала те розы, что он принес ей в палату, теперь этот великолепный игрушечный тигр. Его щедрость выходила за рамки здравого смысла. — Чед, — с упреком повторила она, — вы просто безумствуете!

— Как вы думаете, он Саре понравится? — Диллон с гордостью донес тигра до колыбели и водрузил перед Сарой.

Игрушка на несколько дюймов возвышалась над колыбелью. Сара мгновение смотрела на него, потом ее личико сморщилось, ротик приоткрылся, и она залилась отчаянным громким плачем.

— О господи, что я сделал не так? — Чед, охваченный паникой, обернулся за помощью к Ли. Он испугался еще больше Сары.

Ли поспешила взять девочку на руки.

— Я думаю, что она просто потрясена, только и всего.

— Какая жалость! Я не хотел напугать ее...

— Разумеется, вы ни в чем не виноваты. Через минуту с ней все будет в порядке. Ей просто необходимо знать, что я здесь.

И в самом деле Сара очень быстро успокоилась. Она еще пару раз всхлипнула, а потом заинтересовалась золотой сережкой в материнском ухе.

— Вообще-то я слишком мало знаю о детях, — вздохнул Чед с виноватым видом.

— Дайте ей пару дней, и она привыкнет к тигру.

— Надеюсь.

— Честно говоря, мне кажется, что вы уже прощены.

Сара повернула голову на звук голоса Чеда. Кроме дедушки — отца Ли, — малышка других мужчин не видела. И ей не потребовалось слишком много времени, чтобы уловить разницу между голосом матери и гостя.

— Хотите подержать ее? — спросила Ли.

— А вы думаете, она мне позволит?

— Я в этом не сомневаюсь, потому что именно вы первым взяли ее на руки.

— Это и вправду был я, верно?

На мгновение их глаза встретились. И Ли поняла, что они оба вспомнили, как оказались вдвоем на обочине пустынной автострады жарким августовским днем, когда он остановился, чтобы помочь ей. Ли вспомнила, как добр был Чед, сколько сострадания и понимания он проявил. Она чувствовала искреннюю радость от того, что снова видела его.

Ли первой нарушила молчание и протянула ребенка Чеду. Ее рука оказалась в ловушке между мягкой спинкой девочки и твердой ладонью мужчины. Она подняла на него глаза, пытаясь понять, отреагировал ли Чед на это прикосновение, и с тревогой поняла, что Чед не остался равнодушным. Его завораживающие глаза смотрели прямо в ее зрачки. Ли медленно отняла руку.

Чед сосредоточил все свое внимание на Саре. Он говорил негромко, мелодично, на все лады расхваливая ее красоту. Сара засмотрелась на его лицо, загипнотизированная звуком его голоса. И Ли вдруг поняла, что так же легко поддается гипнозу, как и ее дочурка. Чед был так красив! Правда, когда они встретились, он предстал перед ней не в лучшем виде, но ей и в голову не приходило, что он окажется таким красавцем. И как трогательно, что он так оделся, когда собрался навестить их. И почему это ее удивляет? Все, что делал Чед, подкупало искренностью.

Ли снова почувствовала себя огорченной из-за небрежного вида. Сейчас она выглядела просто-напросто клушей. Она поправила прическу и выпрямилась, надеясь, что Чед не заметит, что блузка заправлена в юбку наспех и не слишком аккуратно. Она помнила, что чулок у нее поехал, потому что она зацепилась за коляску в супермаркете.

— Не соблаговолят ли обе леди поужинать со мной сегодня вечером? — Голос Чеда вывел ее из раздумий.

— Что? Ужин? В городе?

Мужчина рассмеялся и подкинул Сару вверх. Девочка пискнула.

— Да, настоящий ужин в ресторане.

— Мне бы очень хотелось пойти, Чед, честное слово, но я не думаю, что из этого что-нибудь получится. Сару очень сложно брать с собой в ресторан.

— Мы с этим справимся.

— Нет, я не могу принять ваше предложение. — Ли закусила губу. Он столько денег истратил на подарок, что она просто не должна позволять ему тратиться еще и на ужин. Хотя, честно говоря, Ли весьма вдохновила мысль поужинать в ресторане с красивым мужчиной. С Чедом. Именно с Чедом. — Может быть, лучше вы останетесь на ужин? Я хотела сказать, что мы можем поужинать и здесь.

«Да, Ли, — сказала она самой себе, — ты совсем не думаешь, что говоришь». Что Чед теперь о ней подумает? Что она принимает мужчин у себя в доме? Что она вдова, соскучившаяся по мужской ласке?

— Вы уверены, что предпочтете готовить сами, а не уступите эту честь какому-нибудь дипломированному повару?

Нет, она совсем не была в этом уверена, но ей не хотелось, чтобы Чед об этом знал. Во всяком случае, он не стал на нее смотреть похотливо. Он явно понял, что ее приглашение относится исключительно к ужину.

— Сара еще слишком мала, чтобы сидеть на высоком стуле, и мне приходится носить ее в корзинке, из которой она почти выросла. Обычно она очень хорошо себя ведет до тех пор, пока не приносят мой заказ. Вот тут она начинает капризничать. Мне приходится одной рукой есть, а другой...

— Представляю себе эту картину, — смеясь, ответил Чед и поднял руку, чтобы отмести все остальные возражения Ли. — Ладно, согласен. Сегодня я поужинаю у вас. Но только сегодня вечером. В другой раз мы все-таки попробуем сходить в ресторан. Вдвоем нам будет не так трудно справиться с малышкой.

«В другой раз?» — изумленно подумала про себя Ли, а вслух сказала:

— Что бы вам хотелось съесть?

— Решайте сами. — Сара звонко хлопнула его ладошкой по щеке, но Чед как будто не обратил на это внимания.

— Я только что купила банку ветчины в магазине. Вы любите холодную ветчину?

— Обожаю.

— А как насчет салата? — Чед кивнул. — Мои родители приезжали ко мне в субботу. Мама приготовила огромную миску картофельного салата и заверила меня, что чем дольше он стоит в холодильнике, тем вкуснее становится.

— Моя мама утверждает то же самое. Чем я могу вам помочь? — Его белоснежные зубы сверкнули в насмешливой улыбке.

— Кажется, вы отлично поладили с Сарой. Вас не затруднит занять ее еще какое-то время, пока я разложу продукты и накрою на стол?

— Это самое легкое дело, которое мне поручали в последнее время, — Чед подмигнул Ли.

Молодая женщина смущенно опустила глаза, почему-то заливаясь краской... Когда в последний раз у нее в гостях был мужчина? Это было еще до того, как они с Грегом поженились. Как ей развлечь гостя? Да и многие ли женщины принимают гостей, когда у них на руках четырехмесячный ребенок?

— С вашего разрешения я вас на несколько минут оставлю. — Ли прошла через гостиную в свою спальню. — Мне просто нужно... Я сию секунду вернусь.

Она торопливо закрыла за собой дверь и бросилась к шкафу. Что бы ей такое надеть? Так, у нее есть новые брюки... Нет, брюки не подойдут — перемена будет слишком заметной. Но джинсы, наверное, покажутся чересчур домашним нарядом? Глупости! Ведь они же проводят вечер у себя дома, верно? Вечер? Опомнись, Ли! Речь идет только об ужине, и исключительно о нем одном.

Ли натянула джинсы и поменяла блузку. Сара испачкала ту, в которой Ли пришла с работы. Так что теперь она выбрала рубашку абрикосового цвета из полиэстера, который только очень опытный глаз мог бы отличить от шелка. Затем, вытащив последние заколки, она торопливо расчесала волосы и заколола с одной стороны заколкой. Что ж, так-то лучше. Она брызнула на себя капельку духов и заторопилась обратно в гостиную. Ли ужасно волновалась.

Чед сидел на диване, у него на коленях сидела Сара и била его ножками в живот. Когда Ли вошла в комнату, глаза Чеда удовлетворенно блеснули. Он громко присвистнул, но Ли не обиделась.

— Ли Брэнсом, вы потрясающе красивая женщина, — комплимент был произнесен волнующе чувственным голосом.

Ли крепко сжала руки.

— Спасибо, — просто поблагодарила она.

— Я надеюсь, вы не будете возражать — я снял пиджак.

Блейзер лежал на ручке качалки. А рукава рубашки Чед закатал до локтя.

— Нет, устраивайтесь, как вам удобно.

Ли повернулась, собираясь отправиться на кухню. Чед взял ребенка на руки, встал и двинулся следом за ней.

— Мне нравится ваш дом, — заметил он, оглядывая небольшие, со вкусом обставленнные комнаты. Приглушенные голубые и бежевые тона гостиной повторялись и в обеденной зоне. На кухне глаз невольно останавливался на ярко-синем орнаменте декоративных плиток, уложенных по краю стола. Медные кастрюли и сковородки на длинных ручках свисали с крючков под потолком. Чеду пришлось наклониться, чтобы не задеть их головой.

— Еще раз спасибо. — Ли начала выкладывать продукты из пакетов и размещать их в холодильнике. — Когда я сюда переехала, мне, с одной стороны, не хотелось жить в квартире, а с другой — не хотелось взваливать на свои плечи ответственность за большой дом, — объяснила она, укладывая яйца в специальные гнездышки. — Эти небольшие домики, стоящие рядом и объединенные одним двором, решили мою проблему. Плата за дом включает в себя и оплату услуг садовника. И мне нравится, что я сама хозяйка в своем доме, но в то же время хорошо, что и соседи совсем близко.

Небольшие домики на четыре комнаты расположились в виде подковы по периметру центрального дворика. Покачивая Сару на колене, Чед рассматривал пейзаж в большое окно над раковиной.

— У вас очень милый внутренний дворик и ландшафт прекрасный.

Ли рассмеялась:

— Как вы знаете, трава и деревья не слишком любят климат Мидлэнда, но голая земля наводила на меня тоску. Поэтому я принялась создавать собственный сад. Разумеется, сейчас ничего не цветет, но весной цветущие растения очень радуют глаз. Этим летом я заплатила за воду целое состояние.

— Но вы ведь не уроженка западного Техаса, верно?

— Я дитя военно-воздушных сил. Мой отец был кадровым военным, и его последним местом службы стал Биг-Спринг. Это было еще до закрытия авиабазы. Когда он вышел в отставку, они с мамой решили там остаться. К тому времени я уже училась в колледже и не жила дома. Мы с Грегом жили в Эль-Пасо.

— Грег — это ваш муж? — спросил Чед.

— Да. — Ли на мгновение застыла. Прошло уже больше года, а во всех книгах по психологии говорится, что первый год вдовства самый тяжелый. Ли пережила первое Рождество без мужа, их дни рождения, годовщину свадьбы. Огорчения, их ссоры из-за его работы забылись, уступив место более радостным воспоминаниям.

— Расскажите мне, как он выглядел, чтобы я мог понять, на кого похожа Сара.

— Грег был высоким и худым, с русыми волосами и серыми глазами.

— Понятно. Вы говорили, что он работал в отделе по борьбе с наркотиками, — задумчиво произнес Чед. — Вам не нравилось, что он этим занимался?

Ли не сочла вопрос Чеда простым проявлением любопытства. Он так спросил, что стало ясно, что его искренне интересует ее ответ.

— Я ненавидела его работу. Мы с Грегом были счастливы вместе. Единственным поводом для ссор была его работа. Я умоляла его уйти, но... — Ли торопливо закрыла дверцу одного шкафчика и открыла другой. — А чем занимаетесь вы? Все еще работаете механиком?

— Механиком?

— Вы мне тогда сказали, что разбирали мотор самолета. Я решила, что вы механик.

— А, ну да, разумеется, иногда я и в самом деле работаю с механизмами. Но занимаюсь я совершенно другими вещами. — Он смущенно отвернулся, и Ли не стала настаивать на более подробном ответе. Возможно, у него вообще нет постоянной работы. Чед, похоже, перебивается случайными заработками. Он явно купил эти вещи тогда, когда дела у него пошли получше. Его стиль был несколько консервативным, но вещи были отличного качества и очень ему шли.

Стол был накрыт, еда готова. Чед принес корзинку Сары в кухню, а потом взялся нарезать ветчину. Малышке пришлось довольствоваться собственным обществом, пока взрослые ужинали.

— Вы работаете, Ли? — поинтересовался Чед, впиваясь зубами в кусок французского хлеба, щедро намазанный маслом.

— Да, но о моей работе трудно рассказывать, — улыбнулась молодая женщина. — Я художник-оформитель в торговом комплексе.

Чед уставился на нее с таким изумлением, что Ли расхохоталась.

— Повторите еще раз! — Чед проглотил еще кусок хлеба.

— Я оформляю пространство в торговых рядах. Вы никогда не задумывались о том, кто развешивает там корзины с весенними цветами? Или кто меняет растения в горшках вокруг фонтанов? Кто устраивает перед Рождеством домик Санта-Клауса? Кстати, именно этим я сейчас и занимаюсь.

Чед положил вилку и подмигнул Ли.

— Я, должно быть, покажусь вам полным кретином, но я никогда об этом не думал.

— Об этом мало кто задумывается, но, если бы такого оформления не было, все сразу бы это заметили.

— Вы работаете на администрацию торгового комплекса?

— Не только. С торговым комплексом у меня контракт, но иногда я выполняю и другие заказы. Некоторые небольшие фирмы нуждаются в услугах дизайнера. Обычно они просят украсить офис к Рождеству. Иногда к Пасхе. Я говорю им, что следует купить в пределах той суммы, которой они располагают, а потом я приступаю к работе.

— Потрясающе!

Ли снова рассмеялась.

— Я бы так не сказала, но это отличная работа для одинокой матери. Я работаю в своем собственном ритме, у меня не бывает авралов, я очень дисциплинированна и, разумеется, всегда делаю работу в срок. Я плачу студентам, которые делают вместо меня самую тяжелую работу, но только не в торговом комплексе. Там мне помогают их собственные инженеры и рабочие. Оформление торгового комплекса обычно меняют пять раз в год. В промежутках между работой я придумываю следующий вариант оформления.

— И каким же образом вы нашли эту работу?

— На самом деле работа сама нашла меня. У меня была подруга, которая делала то же самое для банка в Эль-Пасо. Я была ее неофициальной помощницей. Владельцы торгового комплекса в Мидлэнде предложили эту работу ей. Она отказалась, но порекомендовала на это место меня. Разумеется, мои работодатели не подозревали, что я беременна, когда я пришла наниматься на работу. Но когда это уже было невозможно скрывать, мне никто ничего не сказал.

— Я их понимаю. Я уверен, что они были довольны вашей работой. И потом, кто же выгонит с работы беременную вдову в наше просвещенное время?

Ли улыбнулась.

— Вероятно, вы правы. В любом случае я рада, что они этого не сделали. Без работы мне не прожить.

Они доели ужин, а на десерт Ли предложила мороженое с шоколадным сиропом.

— А у вас не найдется еще и кофе к этому десерту? — спросил Чед.

От огорчения Ли уронила ложку на блюдце.

— Ой, Чед, нет. Кофе у меня нет и кофеварки тоже. Я его не пью, поэтому...

— Вы не пьете кофе? И после этого вы называете себя американкой?

Ли облегченно вздохнула — слава богу, Чед подшучивает над ней.

— Чед, мне и вправду жалко, что не могу исполнить ваше желание.

— Да что вы, Ли! Было бы из-за чего огорчаться! — просто ответил он. — С удовольствием выпью чашку чаю.

Пока Ли убирала со стола, Чед кормил с ложечки расстаявшим мороженым Сару, которая снова уже сидела у него на коленях. Ли поймала его на месте преступления.

— Чед, вы кормите ее мороженым? — осуждающе уточнила она.

— И, по-моему, оно ей очень нравится, — ответил Чед с невинной мальчишеской улыбкой.

— Я едва могу поднять ее, она слишком толстая. И уж мороженое ей нужно в самую последнюю очередь.

Чед оторвался от своего занятия, поднял голову и внимательно оглядел Ли с головы до ног.

— Я бы сказал, что вам обеим не мешает немного поправиться.

Ли растерялась, но тут же постаралась превратить его слова в шутку.

— Я слишком усердно трудилась, чтобы вновь обрести форму после рождения Сары. — Да что такое с ее голосом? Почему он дрожит?!

— Вы отлично поработали. — Глаза Чеда остановились на ее груди. И словно он коснулся их, соски Ли тут же набухли и затвердели. Ли стало неловко, потому что тонкое кружево бюстгальтера и ткань блузки не могли скрыть ее возбуждения. Она готова была расцеловать Сару, которая громко расплакалась именно в этот момент.

— Она хочет спать, — сказала Ли, беря малышку из рук Чеда и прикрываясь ею словно щитом. — Пойду уложу ее.

— Могу я вам помочь? — Чед встал сразу же, как только Ли забрала у него Сару. Теперь он стоял рядом, возвышаясь над ними, поглаживая спинку девочки. Но смотрел он на Ли, как будто прикасался к ней, а не к Саре.

— Н...нет, спасибо. Чувствуйте себя как дома. Я вернусь через минуту. Обычно она быстро засыпает.

Ли буквально выбежала из комнаты. Ей пришлось сделать несколько глубоких вдохов, чтобы успокоиться. Сара спала с ней в одной комнате. Ли не была еще готова к тому, чтобы укладывать ее отдельно во второй маленькой спальне. Когда она сама ложилась спать, было нечто умиротворяющее в ровном дыхании малышки.

Ли постаралась вести себя так, чтобы ее нервозность не передалась девочке, пока она будет укладывать ее спать. Но ее предосторожность оказалась напрасной, потому что стоило ей положить Сару на животик, как она сразу же приняла свою обычную позу для сна — попкой вверх — и даже не потребовала, чтобы мать, как обычно, немного погладила ее по спинке. Сара заснула почти мгновенно.

Чед словно часовой вышагивал по гостиной, когда Ли вернулась в комнату.

— Там у вас было так тихо, что я решил — что-то случилось.

— Нет, — ответила Ли, — Сара очень послушная девочка. Я сама удивляюсь — с ней практически нет никаких проблем.

— Это значит, что она счастлива. Вы хорошая мать. Вы даете ей чувство защищенности.

— Надеюсь, — серьезно ответила Ли. — Не знаю, как все сложится потом... Я беспокоюсь о том, как она будет расти без... — Она оборвала фразу, потому что сообразила, какие слова готовы были сорваться у нее с языка. Женщина отвернулась и стала поправлять картину на стене.

— Без отца? — закончил за нее Чед.

Ли повернулась к нему.

— Да. Сейчас ей вполне хватает моего общества, но когда она будет старше...

Чед подошел к Ли. Ей вдруг стало страшно, захотелось убежать, она чувствовала исходящую от него угрозу, но ноги не слушались ее.

— Следует ли это понимать так, что сейчас у вас нет отношений с другим мужчиной? — негромко спросил он.

Сара больше не могла защитить мать. Присутствие Чеда наполнило комнату мужской аурой, и эта новая атмосфера лишила покоя Ли. Она видела ее, чувствовала, обоняла.

— Нет, — все-таки ответила она на его вопрос после долгого молчания.

— Это «нет» означает, что я неправильно вас понял или что у вас нет отношений с мужчиной?

— У меня... никого... нет, — Ли смущенно покачала головой.

— Это из-за Грега? — мягко продолжал расспрашивать Чед. — Вы одна, потому что все еще любите его?

Ли отвела глаза. Чед слишком пристально смотрел на нее. Господи, какие же у него синие глаза, глубокие и... В распахнутом вороте рубашки она увидела волосы, вьющиеся на его груди, такие заметные в свете лампы.

— Нет, честно говоря, причина не в этом. Я не могу отказаться от жизни только потому, что мой муж умер.

— Значит, есть другая причина?

Ли посмотрела ему в лицо и вдруг облегченно рассмеялась.

— Честно говоря, беременная вдова — это не совсем то, о чем мечтают мужчины.

Напряжение спало. Чед расхохотался вместе с ней, закинув голову. Шея напряглась, рельефно обозначились сильные мышцы. Не переставая смеяться, Чед посмотрел на Ли.

— У вас были какие-нибудь проблемы после того, как я привез вас в больницу?

— Нет.

— С вами все в порядке? Все вернулось к норме?

Ей следовало бы смутиться, ведь они обсуждали такие интимные вопросы, но Ли почему-то не ощущала никакой неловкости.

— Да, во время моего последнего визита к врачу я выяснила, что абсолютно здорова.

Чед вздохнул с явным облегчением.

— Господи, сколько же времени я мучился, думая о том, что мог причинить вам вред своими неумелыми действиями.

— Чед! — Ли протянула к нему руку, решив дотронуться до него, но передумала. — Куда вы потом исчезли? Я пыталась вас разыскать. Но в телефонной книге не оказалось вашего номера. Я не знала, что и думать.

— Зачем?

— Что — зачем?

— Зачем вы пытались меня разыскать?

— Я хотела как-то отплатить вам за то, что вы помогли мне. Я... — Она замолчала, увидев гневное выражение его лица.

— Интересно, как это вы собирались отплатить мне?! Я бы не взял у вас ни цента, Ли. — Он отвернулся. — Черт побери, — негромко выругался Чед, потом снова повернулся к ней. — Неужели вы думали, что я ожидаю от вас платы?

— Я не хотела обидеть вас, Чед. Я просто хотела, чтобы вы знали, как высоко я оценила... — У нее задрожали губы. — Если бы не вы, я могла бы умереть. И Сара тоже...

— Тс-с, — Чед подошел к ней и обнял. Ли не сделала ни малейшего движения, чтобы высвободиться из его объятий. — Я не хотел вас огорчить. Мне кажется, с того момента, как я у вас появился, я только и делаю, что заставляю двух женщин плакать. — Он пытался пошутить, и попытка ему удалась. Ли рассмеялась, уткнувшись лицом ему в грудь. От него так хорошо пахло. Туалетная вода явно была не из дешевых, с изысканным ненавязчивым ароматом.

Он приподнял ее лицо за подбородок и заставил посмотреть в глаза.

— Помнишь о том, что произошло в твоей палате перед тем, как я ушел?

Ли кивнула беззвучно.

— Скажи, — настаивал Чед.

— Ты принес мне цветы.

— А что еще? — Она хотела отвернуться, но Чед не давал ей такой возможности. — Что еще?

— Ты поцеловал меня.

Чед удовлетворенно кивнул.

— Я не был уверен, что ты это помнишь. — Его рука мягко легла на ее щеку. — Тебя слишком накачали снотворным, и ты не могла меня оттолкнуть или не возражала против моего поцелуя?

Ли смущенно опустила глаза.

— И то, и другое, если уж быть честной.

Она услышала, как Чед хмыкнул.

— Значит, ты не станешь возражать, если я снова тебя поцелую? — Она не подняла головы, и Чед настойчиво попросил: — Ли, ответь мне, пожалуйста.

Она утвердительно кивнула.

Сначала она ощутила на губах его теплое дыхание, потом их губы слились. Он целовал ее именно так, как это запомнилось Ли, — медленно, нежно, сладко. Чед на мгновение прижал ее к себе, а потом отпустил, чтобы его руки могли ласкать ее спину.

Его настойчивые губы заставили ее открыть рот, и ее губы раскрылись ему навстречу словно нежный цветок. Их сердца гулко бились, но они не торопились, пили дыхание друг друга.

Затем его язык проскользнул между ее губами и зубами, играя с ее языком. От этой ласки у Ли подкосились ноги. Она обхватила Чеда за талию, цепляясь за него в надежде удержать равновесие в этом мире, убегающем у нее из-под ног.

Ее тело ожило, приникая к нему. Груди налились, соски затвердели от прикосновения к его груди. Чед чуть шевельнулся, и она услышала его удовлетворенный вздох. Его руки ласкали ее тело, гладили, дразнящими движениями скользили по бедрам. Чед прижал ее к себе крепче, положив руку ей на поясницу.

Ли почувствовала его возбуждение, на мгновение отшатнулась от него, но инстинкт взял верх, и она выгнулась ему навстречу. И Чед больше не мог сдерживать себя. Его поцелуи стали страстными. Он ласкал ее рот, пробуя на вкус ее губы.

Он был упрямым и нежным, настойчивым и деликатным, требовательным и умоляющим. Чед целовал ее, а Ли ощутила, как восхитительные, эротические ощущения разливаются по всему ее телу. И ее ответный поцелуй тоже был полон желания.

Им не хватило воздуха, и они оторвались друг от друга. Чед прижался горящей щекой к ее щеке. Ли по-прежнему обнимала его за талию. Их шумное дыхание, казалось, наполняло комнату мерным гулом.

Чед медленно отклонился от Ли, отвел у нее со лба прядку волос. И, снова приникнув к ней, он коснулся ее губ целомудренным поцелуем.

— Спокойной ночи, Ли. Я тебе позвоню. — И уже у самой двери, словно вспомнив нечто очень важное, он добавил: — Да, кстати, спасибо за ужин. Было очень вкусно.

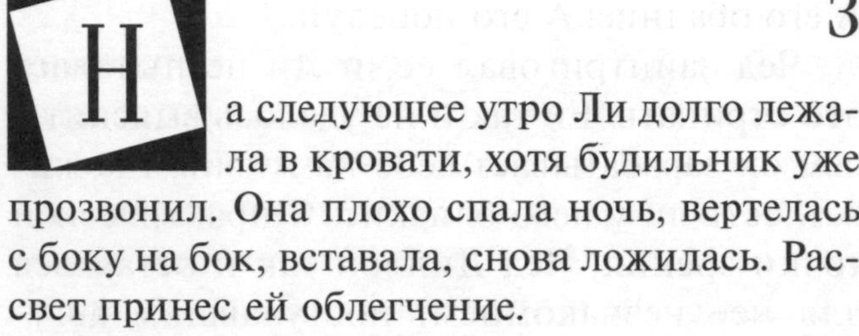

3

На следующее утро Ли долго лежала в кровати, хотя будильник уже прозвонил. Она плохо спала ночь, вертелась с боку на бок, вставала, снова ложилась. Рассвет принес ей облегчение.

Словно пораженная громом, она смотрела, как Чед берет с кресла свой темно-синий клубный пиджак, надевает его и направляется к двери. На прощание он дружески подмигнул ей. Ли не могла отвести глаз от закрывшейся за ним двери, не веря в то, что случилось. Само существование Чеда Диллона казалось ей теперь лишь плодом ее воображения.

Что он за человек? Сначала, когда Ли увидела Чеда, она приняла его за неприкаянного неудачника. Он даже внушал ей страх, от него словно исходила опасность. Но его заботливое отношение к ней, его сочувствие, его помощь изменили первое впечатление. Когда Чед Диллон вышел из ее палаты в больнице, Ли уже считала его добрым и безобидным бедолагой, нуждающимся в деньгах. Но, появившись на пороге четыре месяца спустя с великолепным подарком для маленькой Сары, он несказанно удивил ее. Его одежда говорила об элегантности или, как минимум, о хорошем вкусе, его манеры — о достойном происхождении и образовании. А его обаяние! А его поцелуй...

Чед заинтриговал ее, и Ли не пыталась это отрицать. Ей так и не удалось выяснить, чем он зарабатывает себе на жизнь, где живет, есть ли у него близкие. С практической точки зрения, Чед Диллон так и оставался для нее незнакомцем, постучавшим августовским днем в окно ее машины.

Но ведь она ответила на его поцелуй с таким пылом, которого сама в себе не подозревала! Ли никогда не считала себя чувственной и страстной женщиной. Они с Грегом вели обычную сексуальную жизнь, им было хорошо друг с другом, и ей этого было достаточно. Но Ли не могла вспомнить, когда чувства так захватывали ее, как в этот вечер с Чедом. Она делила постель с Грегом, но это было продолжением той любви, которую она к нему испытывала. Ли могла определенно сказать, что близость с Чедом могла бы открыть перед ней такие высоты наслаждения, о существовании которых она даже не подозревала. Эта близость сама по себе стала бы событием ее жизни.

Чед уже ушел, а Ли все еще испытывала муки неутоленного желания, ранее совершенно ей неизвестные, — внизу живота появилась какая-то тяжесть, соски покалывало, в горле застрял комок.

Она легла в кровать, но прикосновение к прохладной простыне дало ей какое-то совершенно незнакомое ощущение собственной наготы, своего жаждущего мужских ласк тела. Свежий аромат туалетной воды, которой пользовался Чед, все еще витал в воздухе, словно запутался в ее волосах. Стоило Ли повернуться, как ночная рубашка, касаясь ее груди, заставляла ее снова вспомнить о пережитом возбуждении. Каждое движение словно пробуждало к жизни ее дремавшую плоть, рождало в ней какую-то новую женщину, которой прежде не существовало.

Ли удивительно остро ощущала окружающий мир — все звуки, картины, прикосновения и запахи. Ее язык еще не забыл сладостное прикосновение языка Чеда, и она все время облизывала припухшие губы. Ли казалось, что ее глубоко спрятанные чувства вдруг вырвались наружу и наслаждаются обретенной свободой. В ее мозгу рождались совершенно немыслимые фантазии наслаждения.

Ли хотела мужчину. Ли отчаянно нуждалась в нем.

Ее щеки покраснели от стыда и чувства вины, она зарылась лицом в подушку. Когда это было в последний раз? Почти год назад. Молодой матери не следовало бы думать о таких вещах, но Ли знала, что хочет ощутить мужскую силу рядом с собой, внутри себя.

И это должен быть не просто какой-то мужчина. Ли хотела Чеда.

Даже теперь, когда наступило утро, острота желания не притупилась.

— Это глупо, это смешно, в конце концов, — отчитывала себя Ли, отбрасывая в сторону одеяло и вылезая из кровати. — Тоже мне, роковая женщина, а у самой даже кофеварки в доме нет. — Она накинула на себя плотный бархатный халат.

Сара только-только заворочалась в своей колыбели, когда Ли наклонилась над ней.

— Доброе утро, моя радость, — промурлыкала Ли, переворачивая девочку на спинку. — Сейчас я поменяю тебе памперс, а потом покормлю завтраком, — ворковала Ли, меняя дочке подгузник. — Возможно, мы никогда больше его не увидим, — сказала она малышке. — Он заглянул к нам только из любопытства, ему просто захотелось узнать, все ли у нас в порядке.

Ли закрепила памперс и понесла Сару на кухню.

— Ну и что из того, что он поцеловал твою мать? — продолжала Ли свой монолог. — Целовался он, надо признать, как настоящий профессионал. Не стоит даже и говорить — у него явно была большая практика. Возможно, у него просто в последнюю минуту сорвалось свидание, и он не придумал ничего лучшего, как навестить нас. Что ты об этом думаешь?

Сара выразила глубокое удовлетворение поглощаемой ею кашкой из злаков с персиком.

— Он и в самом деле очень привлекательный мужчина. Уверена, что тебе он тоже понравился. В конце концов, в некотором смысле ты появилась на свет благодаря ему. Высокий, мускулистый и... гм... твердый. Сара, когда он прижал меня к себе, мне захотелось раствориться в нем. Но он вовсе не груб, — быстро пояснила она, вытирая девочке рот влажным бумажным полотенцем. — Он и с тобой был таким же нежным. Вспомни, как он кормил тебя мороженым. Конечно, даже я понимаю, что он — мужчина с опытом. Его рот... и его руки... Я все думаю, какое должно возникнуть ощущение, когда... Хотя мне это ощущение знакомо. Он прикасался ко мне, когда ты родилась. Но это было совсем другое. Это совсем не было похоже на... Понять не могу, почему я все время об этом думаю... Когда ты вырастешь, Сара, ты сама все поймешь.

Чед был главной темой разговора и за завтраком, и после него, но Сара определенно не возражала против этого. Она плескалась в ванночке, слушая материнские рассуждения. Даже когда они обе уже были одеты и выходили из дома, тема Чеда Диллона еще не была исчерпана до конца.

— Мне бы хотелось, чтобы олени выглядели так, будто парят в воздухе, а не просто подвешены к потолку, — говорила Ли, обращаясь к рабочим, собравшимся вокруг нее. — Вы понимаете? Предполагается, что олени Санта-Клауса летят. Так что давайте опустим их, ну скажем... — Ли взглянула на зеркальный потолок торговых рядов, — на два с половиной фута. Это минимум. Нити достаточно прочные и не оборвутся.

— А что, если они все-таки порвутся и северный олснь рухнет на ничего не подозревающего покупателя?

Этот мягкий, завораживающий голос прозвучал у самого уха Ли. И она мгновенно его узнала. Женщина резко обернулась и увидела Чеда, стоящего у нее за спиной.

— Привет, — улыбнулся он. — Я подам в суд, если олень упадет мне на голову в тот момент, когда я буду покупать подарки к Рождеству.

— Он легкий и не причинит вам вреда, — торопливо ответила Ли. — Он из папье-маше и внутри пустой.

— И я такой же. Пустой, я имел в виду. Как насчет ленча?

Чед снова выглядел как ковбой. Только на этот раз его фирменные джинсы были безупречными. Поверх голубой клетчатой рубашки он надел замшевый жилет, а в руке держал черный фетровый «стетсон». Ли не удержалась и взглянула на его ноги. Пыльные старые ковбойские сапоги уступили место новехоньким черным, из кожи ящерицы.

— Привет, Чед, как дела?

Ли оторопела и с удивлением смотрела на рабочих, пока они разговаривали с Диллоном.

— Отлично. Джордж, Берт, Сэй, Хэл, привет всем. А как дела у вас?

— Так себе. Было что-нибудь интересное за последнее время?

Чед быстро покосился на Ли:

— Нет, ничего особенного.

— А я слышал об одном дельце в...

— Джордж, я пришел сюда, чтобы пригласить на ленч понравившуюся мне женщину, и вовсе не собираюсь тратить попусту время, сплетничая тут с вами.

Мужчины рассмеялись и внимательно посмотрели на Ли. Раньше она была для них только профессиональным дизайнером, компетентным человеком, но теперь, поняла Ли, они смотрят на нее как на привлекательную женщину. Чед обнял ее за плечи, и она почувствовала, что краснеет. Пытаясь взять себя в руки, Ли посмотрела на часы.

— Я полагаю, сейчас самое время для ленча, — согласилась она. — Встретимся здесь же через... Ну, скажем, через час.

— Скажем, через два часа, — вмешался Чед.

Снова послышались одобрительные смешки, мужчины начали понимающе переглядываться и подмигивать друг другу. К счастью, Чед сразу же увел Ли.

— Где твой кабинет?

— Чуть дальше — за отделом косметики.

— Тебе понадобится плащ. На улице холодно.

— Нам незачем выходить на улицу. Здесь есть отличный салат-бар и...

— Это еда для кроликов. И потом, я здорово проголодался. Кстати, я обсщал Саре немного подкормить тебя. — Он не дал Ли возможности запротестовать, и сразу спросил: — А где же красавица Сара?

— Миссис Янг, которая живет по соседству, присматривает за детьми работающих матерей. Сара остается у нее, когда мне приходится работать несколько часов подряд.

— Чуть не забыл, — спохватился Чед и вытащил из кармана листок бумаги. — Это мой номер телефона. Он не числится в телефонном справочнике, потому что меня часто не бывает в городе. Зачем зря занимать место на странице? — Он обезоруживающе улыбнулся.

— Спасибо, — поблагодарила Ли, размышляя о том, зачем, собственно, ей звонить ему.

— Можешь звонить когда захочешь. — Чед как будто разгадал ее мысли и улыбнулся.

Они прошли сквозь толпу покупателей — спешащих, любопытствующих или равнодушных — к маленькому офису, который администрация торгового комплекса предоставила в распоряжение Ли. Он располагался рядом с платными телефонами. Ли взяла плащ и сумочку, и они направились к выходу.

Грузовичок Чеда был как и тогда — таким же помятым и грязным и никак не хотел заводиться на холоде, но Диллону все же удалось раскочегарить мотор, и они наконец выехали со стоянки. Определенно, Чед уже решил, где они будут обедать, и не собирался спрашивать мнения Ли.

— Чед, разве ты из Мидлэнда? Откуда Джордж и другие тебя знают?

— Я здесь родился и ходил в школу, и только потом уехал в колледж. Большинство старожилов знают и меня, и моих родителей.

Ли несколько мгновений переваривала полученную информацию, потом снова спросила:

— Ты по-прежнему живешь здесь?

— Да, только я много путешествую.

— Это связано с твоей работой?

Машина повернула влево, и Чед ответил не сразу:

— Да.

Ли ждала продолжения, но Чед молчал, глядя на дорогу.

— Но чем ты занимаешься? Джордж спрашивал тебя о работе. Ты всегда работаешь с самолетами? — Она знала, что из Мидлэнда есть множество чартерных рейсов в другие города. И потом, у многих нефтяных магнатов были собственные самолеты.

— Да, конечно, летать приходится много.

Грузовичок остановился у входа в ресторан. Чед вышел из машины, открыл дверцу для Ли. Ветер налетел на них, пока они шли к входу. Ли не обратила внимания на название ресторана, но, как только они вошли внутрь, она по запаху поняла, что это ресторан-барбекю. В густом теплом воздухе разливался насыщенный аромат специй и дыма.

Из колонок в углу Вилли Нельсон упрашивал мамочек не позволять сыновьям становиться ковбоями. Все табуреты у длинной стойки были заняты служащими в деловых костюмах, рабочими в промасленных джинсах и скотоводами в сапогах с высокими каблуками.

Чед взял Ли за локоть и повел к одной из кабинок, расположенных вдоль стен с цветными витражами, покрытыми пылью и жиром. Он уселся на сиденье из искусственной красной кожи напротив Ли и снял шляпу. Как-то по-мальчишески он пригладил волосы руками. А Ли этот жест показался удивительно соблазнительным.

— Хочешь, я повешу его? — спросил Чед, когда Ли сняла свой плащ.

— Спасибо, не стоит. Положи его на свободный стул.

— Тебе очень идет твой наряд, — одобрительно заметил Чед, разглядывая ее черный свитер из шерсти-букле, плотно облегающий фигуру, и широкий плетеный цветной пояс, подчеркивающий тонкую талию. В черных шерстяных брюках Ли выглядела особенно стройной и длинноногой. — Или, возможно, мне следовало бы сказать, что это ты украшаешь собой эти вещи.

— Спасибо. Ты и сам в полном порядке. — Она понадеялась, что его не обидит скромная похвала. Ведь она едва не выпалила то, что вертелось у нее на языке, — Чед выглядел чертовски сексуально, но такие слова она бы не отважилась произнести.

Чед помахал рукой, призывая измученную официантку, суетящуюся за стойкой. Женщина усталой походкой направилась к ним.

— Что будешь пить? — обратился Чед к Ли.

— Чай со льдом.

Он широко улыбнулся.

— Ты стала настоящей жительницей Техаса, хочется тебе этого или нет. Чай со льдом тут пьют круглый год, а не только летом.

— Приветик, Чед, — неожиданно тепло улыбнулась официантка, подплывая к столику и призывно покачивая бедрами. Ее пышная грудь грозила прорвать тонкую ткань голубого форменного платья. В ушах вызывающе сверкали огромные серьги из поддельных бриллиантов, а платиновые крашеные волосы были обильно залиты лаком. Яркий макияж был бы более уместен в Лас-Вегасе, и Ли сразу вспомнила добросердечных содержательниц борделей из популярных вестернов. — Как дела?

— Отлично, Сью. Как поживает Джек?

— Он по-прежнему толстый и ленивый. А ты видел его другим? — официантка игриво рассмеялась. — Где ты пропадал, Чед? На танцах пару недель назад нам тебя очень не хватало.

— Я уезжал из города.

— Крупное дельце?

Чед пожал плечами, давая понять, что эта тема ему не интересна.

— Это Ли Брэнсом, — представил он свою спутницу. — Она бы с удовольствием выпила чаю со льдом.

— Приветик, Ли. — Сью широко улыбнулась, демонстрируя пугающе крупные зубы. — А что будешь пить ты, Чед?

— Холодное пиво найдется?

— А то ты меня плохо знаешь! — женщина снова засмеялась. — Сей момент принесу выпить и приму у вас заказ.

— Ты любишь барбекю? — спросил Чед у Ли, открывая видавшее виды меню.

— Да, — ее ответ прозвучал сдержанно.

— Но? — Чед призывал ее ответить откровенно.

Ли улыбнулась.

— Обычно я не ем много во время ленча.

Чед сложил руки на зеленой клеенке, покрывавшей стол, и нагнулся к Ли.

— Разве ты отказывалась от питательной еды, пока кормила Сару?

Ли показалось, что ее тело окутал волшебный теплый туман, окрашивая ее щеки густым румянцем. Она торопливо опустила глаза. И ее взгляд упал на руки Чеда, спокойно лежавшие рядом с приборами, завернутыми в бумажную белую салфетку. Это были красивые руки, сильные, мускулистые, загорелые, поросшие темными волосами. Ли знала, какими они могут быть нежными и ласковыми. Эти пальцы погладили по щеке Сару, когда та только-только родилась. Он видел, как Ли впервые дала грудь малышке, и снова коснулся щеки девочки, приласкав при этом и ее мать.

И все-таки Ли было неудобно говорить с ним об этом. Даже после их поцелуя накануне вечером. Именно этот поцелуй все изменил. Поцелуй в больнице в счет не шел. Это был дружеский, ободряющий поцелуй, как благодарность за хорошо выполненную работу. Но здесь, у нее дома, все было совсем иначе. Язык Чеда вызвал к жизни чувственные ощущения Ли, о существовании которых она даже не подозревала. И теперь их отношения, все слова неожиданно приобрели сексуальную окраску. Но, похоже, только для Ли. Вероятно, сам Чед...

— Ли? — Его голос вырвал женщину из задумчивости.

Она потрясла головой и поняла, что Чед прочел ее мысли. Его сияющие сапфировые глаза пристально смотрели на нее, проникая в самую душу, срывая печати с ее самых тайных мыслей. Но Ли не отвела глаз.

— Да, я помню, — голос Чеда звучал так тихо, что только Ли могла его услышать. — Я помню все до мелочей — как ты выглядела, какой была мягкой, цвет твоей кожи, абсолютно все. Это врезалось мне в память, и я множество раз вспоминал об этом. Особенно часто, когда был один. В постели. И каждый раз я сгорал от желания снова прикоснуться к тебе так, как в тот день. Да, я ничего не забыл. И я думаю, что поступаю честно, говоря тебе об этом. Ты должна знать.

Они оба вздрогнули, услышав рядом пронзительный голос Сью.

— Выбрали, что будете заказывать? — Ее карандаш застыл над блокнотом.

Чед обратился к своей спутнице:

— Ли?

Она даже не взглянула в меню, но быстро нашлась:

— Сандвич-барбекю, пожалуйста. — Ее голос звучал приглушенно.

— А мне два сандвича-барбекю с соусом, и порежьте, пожалуйста, лук. — Казалось, магическое очарование прошедших минут на него не подействовало, и он даже игриво улыбнулся Сью, прося порезать лук. — И еще порцию жареного картофеля. Нет, пожалуй, лучше две порции.

— Я приготовила для тебя салат из шинкованной капусты с майонезом, как ты любишь, — сообщила Сью.

— Две порции.

— Чед, я не думаю, что смогу... — Возражение застряло у Ли в горле, когда Чед угрожающе посмотрел на нее.

Официантка рассмеялась:

— На этот раз тебе попалась тонкая штучка, Чед.

Она избегала смотреть на смущенную Ли. Чед отвел глаза.

— Мне как раз такие и нравятся.

— Что ж, зато ты, дорогой, им всем. — Сью потрепала Чеда по щеке и наконец отошла.

Итак, Ли теперь знает, что Чед нравится всем женщинам. Пока они ели, с Чедом успели переговорить все женщины, бывшие в этот момент в ресторане. Три дамочки, явно посещающие загородный клуб, с великолепно уложенными волосами, свежим маникюром и тоннами золотых украшений, задержались возле их столика. Чед вежливо познакомил их с Ли. Но на нее женщины не обратили никакого внимания.

Одна из дам ласково положила руку на широкое плечо Чеда.

— Бубба наконец построил мне крытый бассейн, о котором я так долго мечтала, Чед.

Там есть джакузи и бар. В этом бассейне мы теперь и проводим дни, варимся в горячих пузырьках. Заходи в любое время. Холодная выпивка и горячая вода к твоим услугам. Тебе понравится, уверяю. Тебе будут всегда рады.

Ли мрачно сидела, уставившись на свой салат. Приглашение включает в себя холодную выпивку, теплый бассейн и эту жену неведомого Буббы. Дамы отошли, оставив после себя вызывающе терпкий аромат дорогих духов. Откуда авиамеханик знает всех этих богатых женщин? И насколько близко он с ними знаком? Ревнивый внутренний голос задавал все новые и новые неприятные вопросы.

Но Чед нравился не только жене Буббы и ее подружкам. Пожилая пара, уже выходившая из ресторана, остановилась рядом с ними, и женщина воскликнула:

— Здравствуй, Чед! Как ты поживаешь, мой мальчик? — Она обняла его и расцеловала в обе щеки. — Мы так давно тебя не видели. Ты был занят? Как твоя мама? Я только вчера говорила Дэвиду, что мы очень давно не виделись с твоими родителями. Сейчас все так заняты. Я начинаю думать, что любила наш маленький город куда больше, пока сюда не понаехали толпы чужаков. Ты меня понимаешь? Я больше не встречаюсь с моими друзьями.

— Мистер и миссис Ломакс, разрешите вам представить Ли Брэнсом, — вежливо прервал ее излияния Чед.

— Здравствуйте, — едва успела вставить Ли, прежде чем женщина начала новый монолог.

— Какая же вы хорошенькая! Ну разумеется, иначе и быть не могло. За Чедом всегда бегают девушки. Мои сыновья всегда так ему завидовали. Но Чед всегда был хорошим мальчиком, красивым, но совсем не заносчивым. Ведь я всегда так говорила, верно, Дэвид? Чед Диллон — хороший парень.

Бедному Дэвиду так и не удалось произнести ни слова. Через секунду болтливая жена буквально выволокла его из ресторана.

— Мне очень жаль, что так получилось, — извинился Чед. — Так всегда бывает, когда знаешь в городе слишком многих. Просто невозможно остаться наедине.

— Да нет, все в порядке, правда, — еле слышно ответила Ли.

— Нет, не в порядке. Я хотел побыть с тобой вдвоем. — На мгновение их глаза встретились, и Ли почувствовала, как все у нее внутри заныло от желания. — Ты больше ничего не будешь есть?

Ли доела сандвич, попробовала салат из капусты и чуть-чуть жареного картофеля.

К хлебу она даже не притронулась. Молодая женщина покачала головой.

— Все было очень вкусно, но я уже сыта.

— Тогда пойдем отсюда. Если, конечно, ты не любишь целоваться на публике, — с улыбкой соблазнителя добавил Чед.

У Ли как-то ослабели колени и закружилась голова. Она неловко выбралась из кабинки, но Чед сразу же подхватил ее под локоть. Он расплатился у старого кассового аппарата. Рядом стояла стойка с сигаретами, жевательной резинкой, желудочными таблетками, сладостями, дорожными картами, цепочками для ключей и керамическими пепельницами в форме самого распространенного в этих местах животного — броненосца.

Вернувшись на стоянку автомашин перед торговым комплексом, Чед припарковал машину поближе к входу.

— Когда этот северный олень начнет летать?

— В воскресенье перед Днем благодарения.

— До Дня благодарения?

— Да, именно так. Пятница и суббота после Дня благодарения — самые торговые дни в году. Все должно быть украшено к Рождеству, чтобы создать у покупателей соответствующее настроение. Работать в рабочие часы, когда магазины полны покупателей, мы не можем. Поэтому будем работать в воскресенье, когда все магазины закрыты.

— Как эльфы, которые появляются среди ночи и делают башмаки для сапожника и его жены?

— Ты знаешь эту сказку?

Чед выглядел оскорбленным.

— Моя мама всегда рассказывала мне сказки на ночь, как любая другая мать.

— А ты был таким очаровательным мальчиком. — Ли передразнила миссис Ломакс. — Хорошим мальчиком.

Чед застонал.

— Я должен немедленно изменить это впечатление. И начну я прямо сейчас.

Он потянулся к Ли, положил руку ей на затылок и притянул к себе.

— Мне кажется, тебе не понравилась моя сдержанность сегодня, а я так старался держать себя в узде. Но за ленчем я мог думать только об этом.

Его губы были теплыми, нетерпеливыми, требовательными. Он ожидал повиновения и не был разочарован. Губы Ли манящe приоткрылись, и все ощущения, которые она так старалась подавить в себе, воскресли вновь. Ее тело вспыхнуло огнем от жара его губ. Их языки боролись, сплетались, ласкали друг друга.

Потом его губы коснулись ее щеки, уха.

— Ты по-прежнему считаешь меня «хорошим мальчиком»? — прошептал он.

— Нет, — вздохнула Ли, — теперь не считаю.

Он схватил ее за руку и с жаром поцеловал ее ладонь. Сердце Ли гулко билось.

— Я не знал, как ты ко мне относишься. Поэтому и явился без приглашения вчера вечером. Я побоялся позвонить, думал, ты не захочешь меня видеть.

— Ты ошибался, как видишь.

— Я не мог рисковать. Я должен был тебя увидеть.

— Почему, Чед?

Большим пальцем он поглаживал синие вены на ее запястье. Снова поднеся ее руку к губам, он заговорил, целуя ее пальцы:

— Потому что с той минуты, как я оставил тебя в больнице, ты не выходила у меня из головы.

— Это можно понять — не каждый день мужчины принимают роды на дороге у посторонних женщин.

— Ты же знаешь, что дело не в этом. — Его пальцы играли с мочкой ее уха. — Я думал о тебе как о женщине, которую мне хотелось бы узнать лучше, но которая, вероятно, еще не справилась с тем, что с ней случилось. Господи, я вспоминаю тот день и думаю, что наверняка перепугал тебя до смерти.

— Сначала я и вправду испугалась. Но страх длился всего несколько минут. Ты был таким добрым.

— А ты такой красивой.

— Я выглядела ужасно.

— Ты выглядела как произведение искусства.

— Разве что кисти Сальвадора Дали.

— Нет, как скульптура Луки Делла Робии, флорентийского мастера пятнадцатого века. И ты по-прежнему кажешься мне такой. При каждой новой нашей встрече, Ли, ты становишься все прекраснее и все желаннее.

Чед снова поцеловал ее, казалось, он черпал в ней силы. Ли не нашла в себе сил сопротивляться натиску его губ и языка. Он пил из ее рта, словно из источника, и, утолив жажду, стал ласкать ее шею. Ли дрожала, у нее кружилась голова, она ощущала предательскую слабость. Его руки коснулись ее груди, большие пальцы надавили на соски.

— Чед, — еле выдохнула Ли, отталкивая его руки, — я... я должна вернуться на работу, — сказала она, избегая его взгляда, судорожно пытаясь привести в порядок волосы и одежду.

Мгновение Чед смотрел на нее. Ли знала, что он рассматривает ее лицо, хотя и не поднимала глаз. Она услышала, как Чед вздохнул, а потом открыл дверцу машины.

Он помог ей выбраться из пикапа, и они побежали через стоянку, прижавшись друг к другу, подгоняемые ледяным ветром. Чед пытался защитить Ли от холода своим сильным телом, обнимая ее.

— Могу я приехать к тебе сегодня вечером? — Он заметил ее нерешительность, ее сомнения, ее желание сказать «нет». — Я слишком тороплюсь, так, Ли?

Несмотря на все, что она испытала прошлой ночью, Ли понимала, что не может просто так завести с ним роман. Она должна была думать не только о себе, но и о Саре, об их будущей жизни. А связь с Чедом — это наверняка не то, что ей сейчас поможет устроить жизнь. Очень легко сейчас сказать «да», и Чед станет ее любовником, но секс только ради секса противоречил всему, во что верила Ли. Будет лучше, если она прямо сейчас выскажет Чеду все, что думает.

— Если тебе захотелось легкого флирта, развлечения на какое-то время, или ты ищешь возможность перепихнуться в укромном уголке, то я в такие игры не играю, — набравшись смелости, выложила она.

— Я знаю. И лично я предпочитаю неторопливый, качественный секс. — Его губы изогнула насмешливая улыбка, а завораживающие глаза дерзко блеснули. Как жена Буббы, как старая миссис Ломакс, как Сью, как малышка Сара, Ли поддалась его очарованию. Ее враждебность растаяла, как снег под солнцем. — Так мы увидимся вечером, согласна?

— Ты придешь на ужин? — покорно спросила она.

— Нет, — с сожалением ответил Чед. — Я смогу прийти только после девяти, у меня есть еще дела. Это не слишком поздно?

— Нет.

— Вот и отлично. — Он нагнул голову и быстро поцеловал Ли. — В чем дело? — изумился он, когда понял, что она смеется.

— Меня никогда раньше не целовал мужчина в ковбойской шляпе.

Его яркие синие глаза насмешливо сверкнули.

— Теперь будет, — серьезно предупредил он.

Он толкнул тяжелые стеклянные двери, и они вошли в торговый комплекс. Чед проводил Ли до ее офиса. Рабочие уже собрались возле большого фонтана — там, где Ли с ними рассталась.

— Увидимся в девять. — Чсд пощекотал ее под подбородком. — Иди избавляйся от своего плаща и делай все, что так надолго задерживает леди в дамской комнате. Я скажу парням, что ты сейчас появишься. — Он кивком указал на ожидающих Ли людей.

— Пока. Спасибо за ленч. Увидимся вечером.

Было десять часов вечера. Кекс, который испекла Ли, уже остыл. Сара давно спала в своей колыбельке. А Чеда все еще не было.

После ленча с Чедом Ли с головой окунулась в работу. С выделенной ей в помощь бригадой она окончательно уточнила все детали украшения торговых залов к Рождеству. Все они выйдут на работу в следующее воскресенье. Ли надеялась, что они смогут все закончить за один день.

А вот ее встреча с членами правления «Сэддл Клаб Эстейт» прошла не так успешно. К Ли обратились владельцы домов в самой престижной части Мидлэнда. Члены правления хотели, чтобы Ли помогла разработать внешнее рождественское оформление для каждого дома в округе. Идея состояла в том, чтобы каждая улица была выдержана в собственном стиле, а весь квартал композиционно составлял единое целое. Но пятеро членов правления никак не могли прийти к единому мнению по цветовой гамме. Ли понимала, что эти препирательства могут застопорить все дело.

— Если вы хотите, чтобы украшения были готовы к началу второй недели декабря, то к концу этой недели вы должны сообщить мне о вашем решении.

Члены правления обещали не задерживать решение. Взвинченная, Ли ушла с собрания позже, чем рассчитывала, и отправилась забирать Сару. Она накормила девочку, поиграла с ней, пока малышка не начала капризничать, а потом уложила спать. У нее еще осталось время самой полежать в душистой пене и привести в порядок свой макияж.

Ли внимательно рассматривала свое отражение в зеркале. Когда красишься и одеваешься ради мужчины — это нечто особенное. Она и вспомнить не могла, когда в последний раз испытывала такое радостное возбуждение. А вдруг Чед решит, что она перестаралась? Вдруг он решит, что она — одна из многих одиноких вдов, изголодавшаяся по мужскому вниманию и готовая прыгнуть в объятия первого попавшегося мужчины? А вдруг он подумает, что ее слова о том, что она не признает секс ради секса, это всего лишь неловкая попытка замаскировать приглашение?

«Держись строже, Ли», — предупредила она саму себя. Но как сложно напускать на себя равнодушный вид, когда при одной только мысли о Чеде у нее слабеют ноги и кровь стучит в висках, как у девочки-подростка! А он только подогревает ее чувства. Это и льстило ее самолюбию, и пугало ее.

Но время шло, а Чед все не появлялся и даже не звонил. И Ли с огорчением пришла к выводу, что вела себя как дурочка. Она же не могла не видеть в ресторане, что все женщины, которые там были, пытались так или иначе привлечь его внимание к себе. Зачем ему она, женщина, с которой он познакомился при обстоятельствах, которые никак не назовешь ни романтическими, ни обнадеживающими?! К тому же у нее на руках маленький ребенок. Нечего и голову ломать, и так все ясно. Как только Ли сказала ему, чтобы он не рассчитывал на легкую интрижку, Чед Диллон дал задний ход. Несговорчивая вдова, не говоря уже и о ребенке, похоже, не вписывалась в его стиль жизни.

— Нечего было язык распускать, — выговорила она самой себе, сердито глядя на свое отражение в зеркале. Зачем ей вообще понадобилось что-то говорить? Он поцеловал ее днем на парковке и едва прикоснулся к ее груди. Ну и что дальше? Вероятно, ее поцелуй лишил его способности рассуждать здраво. Может ли нормальный мужчина отвечать за свои действия, если женщина отвечает на его поцелуй с таким пылом? Почему она запаниковала, как девственница-пуританка?

Когда его рука коснулась ее груди, почему она просто шутливо не шлепнула его по пальцам? Жена Буббы наверняка умеет так сказать «нет», что мужчина сразу понимает продолжение: «Может быть, позже, когда мы узнаем друг друга лучше...» Но она-то не жена Буббы, сказала себе Ли. Она была, по выражению ее собственной матери, «хорошо воспитанной юной леди», и для нее секс всегда был связан с браком. В свою брачную ночь Ли была девственницей. Она...

Громко зазвонил дверной звонок, и Ли сорвалась с кушетки. Подавив в себе желание со всех ног броситься к двери, она сделала три глубоких вдоха и медленно пошла открывать. Чед стоял на пороге, широко расставив ноги и упираясь ладонями в косяк. Не делая больше ни одного движения, он медленно наклонился и поцеловал ее.

Какое-то мгновение Ли решила было сопротивляться, сначала выяснить, почему он опоздал на целый час, заявить, что она не приглашала его остаться на ночь, но его теплые губы лишили ее способности бунтовать и мыслить здраво. Он медленно, неторопливо обнял ее. Их тела слились.

— Прости меня за опоздание. Но я ничего не мог поделать. Честное слово, — прошептал Чед.

— Я понимаю, — услышала Ли собственный ответ. Его поцелуй лишил ее силы воли. Ее лицо утонуло в его ладонях, крупные пальцы осторожно касались ее губ.

— Мне нравится это... То, что ты надела.

— Я купила это сегодня. — Ли увидела длинный вышитый кафтан в одном из бутиков и без колебаний купила. Это было как раз то, что нужно для спокойных тихих вечеров дома... с Чедом. «Нет, прекрати, прекрати немедленно», — одернула она себя.

— Я принес тебе подарок.

— Ты принес мне подарок? — переспросила Ли, чувствуя, что от волнения заплетается язык.

Чед оглянулся и вытащил откуда-то из-за спины две коробки в подарочной упаковке.

— Сначала открой большую.

Ли взяла коробки и направилась к дивану, пока Чед снимал плащ.

— О нет! — воскликнула она, когда извлекла из коробки кофеварку. — Сейчас я угадаю, что во второй коробке.

— И не ошибешься! Там три фунта кофе! — Он щелкнул пальцами, словно фокусник. Увидев, что Ли пытается сдержать приступ смеха, Чед спросил: — Что тебя так развеселило?

— Сейчас увидишь! Тебя тоже ждет подарок. Идем на кухню.

Заинтригованный, Чед прошел следом за ней на кухню и захохотал тоже, увидев там точно такую же кофеварку. Рядом стояла упаковка кофе.

— Ты сегодня ходила за покупками? — Он взял Ли за руки и чуть отодвинул от себя. — Значит ли это, что ты собираешься частенько варить для меня кофе?

— Значит ли это, что ты хочешь, чтобы я это делала? — поддразнила его Ли.

Вместо ответа Чед прижал Ли к себе с такой силой, что у нее перехватило дыхание. Его пальцы торопливо пробежались по роскошным каштановым волосам, которые Ли не стала укладывать в прическу, губы отыскали ее губы.

Пальцы Ли осторожно двинулись по его плечам, прикасаясь, лаская, наслаждаясь осязанием крепких мышц. Ли завораживала его сила, руки Ли словно изучали тело Чеда, не в силах прервать свое движение.

— О, Ли, — выдохнул Чед, отрываясь от нее, — если мы не остановимся сейчас, я так и не получу свою чашку кофе.

«Остановимся?» Значило ли это, что они продолжат потом то, что начали?

— И ты так и не попробуешь мой шоколадный кекс, — ответила Ли ему в тон.

— Мне не терпится попробовать совсем другое, но я полагаю, что начинать мне следует все-таки с кекса.

«Начинать?» Нервным жестом Ли пригладила волосы.

— Почему бы тебе не сварить кофе? Думаю, что у тебя это получится лучше. А я порежу кекс. — Она просто обязана остановить его — нет, остановить надо и себя, подумала Ли. Чед всего лишь отвечает на ее призыв, который ей никак не удается скрыть, несмотря на все сомнения и тревоги.

Чед поделился с ней своим рецептом приготовления крепкого кофе, пока Ли резала кекс. Он выпил три чашки кофе подряд и с явным удовольствием съел два куска шоколадного кекса.

— Как тебе удается держаться в форме? Никогда бы не подумала, что ты не следишь за фигурой! — воскликнула Ли, когда Чед доедал внушительный кусок кекса.

— Все дело в тяжелой работе и хорошем обмене веществ.

— Ты ходишь в тренажерный зал? Бегаешь? Играешь в теннис?

— Изредка.

— Ты занимался спортом в старших классах школы и в колледже?

— Время от времени.

— Чед Диллон, ты всегда так немногословен, когда отвечаешь на заданные тебе вопросы? — в отчаянии спросила Ли.

— Бывает и такое.

— О боже! — Ли страдальчески закатила глаза, развеселив Чеда. Ему едва удалось перехватить ее руку, устремившуюся к его длинным волосам.

— Я знаю куда лучший способ снимать напряжение и сжигать лишние калории, — медленно произнес он. Чед взял Ли за руку и повел в гостиную.

— Но кекс... Кажется, он тебе очень понравился.

— Он подождет. И потом, мне показалось, ты недовольна, что я и так съел слишком много. Но есть кое-что, чего мне никогда не бывает слишком много...

Он оставил Ли стоять посреди гостиной, а сам уселся на диван и принялся снимать правый сапог.

— Что... Что это ты делаешь? — спросила Ли как можно равнодушнее.

Почему она стоит вот так посреди комнаты? Почему не спрашивает, зачем он снимает сапоги и почему это чувствует себя как дома в се гостиной? И что он собирается делать, когда наконец их снимет?

— Зачем ты снимаешь сапоги? — Ли хотелось, чтобы ее вопрос прозвучал строго, но вместо этого получилось нечто жалобное. Голос дрожал.

— Ноги устали.

— Ах, вот оно что, — это было уж слишком.

Второй сапог упал на пол с глухим стуком. Чед не сказал ни слова, только протянул Ли руку. Как будто повинуясь мистическому приказу, женщина двинулась к нему, скидывая по пути туфли.

Чед привлек ее к себе. Ее голова лежала на его груди. Он усадил Ли между своих коленей. Он приподнял каштановую массу ее волос и поцеловал шею. Когда его язык коснулся чувствительной мочки уха, по спине у Ли побежали мурашки.

— Чед... — прошептала она. Ее никогда раньше так не целовали, и она только повернула голову, чтобы насладиться этой непривычной лаской. — Чед, — слабым голосом повторила Ли, — что ты делаешь?

— Я изо всех сил стараюсь соблазнить тебя. Я пришел сюда с благородными намерениями, — его губы дрогнули в усмешке, когда он произносил эти слова, — но все мое благородство куда-то улетучилось. — Он еще крепче прижал к себе Ли. — Никогда раньше я так сильно не желал женщину, как теперь хочу тебя, Ли, — хрипло сказал он. — Скажи, что ты тоже хочешь меня. Скажи это, Ли.

Как всегда, не проявляя видимого нетерпения, он медленно развернул ее лицом к себе, приподнял лицо.

— Моя отважная красавица Ли! Пожалуйста, позволь мне любить тебя.

И Ли почувствовала, как вся ее сдержанность, все ее благоразумие исчезают, как песок между пальцами.

— Да, — только и смогла сказать она.

Их губы слились, словно истосковались в разлуке и теперь наслаждались соединением.

Ли прильнула к Чеду, и ее рука совершенно естественно легла на его грудь. Его язык изучал нежные глубины ее рта, а ее пальцы нетерпеливо расстегивали пуговицы на его рубашке, пока она не ощутила шелковистую мягкость его волос на груди.

Ли не сразу поняла, что Чед, умело справившись с верхними завязками на ее кафтане, уже приступил к следующим. Ли в предвкушении затаила дыхание и испытала разочарование, когда Чед поднял голову, чтобы взглянуть на нее. Но его рука без колебаний преодолела препятствия и уверенно легла на грудь Ли.

Чед ласкал ее, а его глаза гипнотизировали Ли.

— Ты такая мягкая, — прошептал он, — близкая, нежная и... — Ли перестала дышать, когда его большой палец коснулся соска. — О, Ли... — простонал Чед и зарылся лицом в ложбинку между ее обнаженными грудями.

Он целовал ее, словно опаленную нестерпимым жаром, его влажные губы приятно холодили кожу. От прикосновения его заросших щетиной щек у Ли кровь быстрее побежала по жилам. Ее соски набухли от желания.

— Ты тоже хочешь меня?

— Да, да, да! — Она не могла думать больше ни о чем другом, кроме всепожирающего желания, которое он разжег в ее теле. Спустя секунду его губы сомкнулись вокруг розового соска.

Он наслаждался им, сначала слегка посасывая, потом лаская языком. Легкие касания словно рисовали замысловатый узор на ее коже. Пальцы Ли вплелись в волосы Чеда, она перебирала послушные пряди, и ей казалось, что она умрет от наслаждения. Чед нащупал полу кафтана Ли, откинул в сторону и уверенно положил руку на колено Ли, постепенно продвигаясь все выше и выше.

— Чед, — простонала она. Он оторвался от ее груди, покрыл легкими поцелуями шею и снова припал к ее губам. Они оба сгорали от желания.

Чед взял ее руку, заставляя расстегнуть пуговицы на рубашке, медную пряжку ремня, опуская ее все ниже, чтобы она почувствовала его возбуждение.

Чед осыпал яростными поцелуями ее лицо, шею, плечи. Он говорил горячо и прерывисто:

— Ли, прикоснись ко мне... Я... Я не хочу причинить тебе боль. Ведь прошло уже много времени после рождения Сары... Я не сделаю тебе больно?

— Нет, нет, — выдохнула Ли, качая головой, движением руки давая ему понять, насколько она доверяет ему.

— Моя дорогая...

И тут зазвонил телефон. Они отпрянули друг от друга.

Чед негромко выругался сквозь зубы. Ли освободилась из его объятий и, спотыкаясь, пошла через комнату к телефону.

— Алло?

— Диллон здесь?

4

и не сразу поняла, чего хочет от нее этот мужчина.

— Диллон? Чед? — переспросила она.

— Он у вас?

— Да... Одну минуту.

Ли обернулась и увидела, что Чед стоит у нее за спиной. Его взгляд буквально пригвоздил ее к полу. Она почувствовала себя бабочкой, которую прокололи булавкой и пришпилили к картонке. Он взял трубку из ее ослабевшей руки.

— Да, слушаю! — рявкнул он. Чед выслушал ответ, не спуская глаз с Ли. Потом он отвернулся. — Где это? Плохо? — Еще несколько приглушенных ругательств. — Хорошо... Через полчаса.

Чед бросил трубку на рычаг, подошел к дивану, надел сапоги.

— Чед! В чем дело?

— Я должен уйти, Ли. Мне жаль. Мне чертовски жаль.

— Кто это был? Откуда он узнал? Что... Куда ты едешь?

— У меня работа.

— Работа? Но почему такая срочность?

— Это своего рода несчастный случай.

Он надевал плащ, не глядя на Ли.

— Сожалею, что позвонили сюда. Но я был обязан оставить номер, по которому со мной можно связаться. — Чед подошел к ней, растрепанной после их яростных поцелуев. Ее расшитый кафтан распахнулся. Ли обхватила себя руками, прикрывая наготу и как будто защищаясь. Ей вдруг стало страшно. Чед положил руки ей на плечи и притянул к себе.

— Это Саре, — он легко поцеловал ее в щеку. — Сегодня вечером мне не удалось ее увидеть.

— Чед...

— Это тебе, — его объятия стали крепче. Он поцеловал ее с той грубоватой нежностью, которая уже была знакома Ли. — А это мне, — он приподнял ее, прижимая к себе еще крепче. Ли почувствовала его неутоленное желание. Чед целовал ее так, словно хотел запомнить каждую ее клеточку, каждую черту. В его объятиях было какое-то отчаяние. И это встревожило Ли еще больше.

Когда Чед оторвался от нее и поднял голову, ей показалось, что он выпил из нее все жизненные силы, такой Ли ощутила себя слабой и опустошенной. Его глаза пристально изучали ее лицо, запоминая темные брови, синие глаза, яркий, опухший от поцелуев рот, высокие скулы.

Губы Ли дрогнули.

— Чед! Ты ничего не хочешь мне сказать?

— Я позвоню тебе, как только смогу. Как только я вернусь. Возможно, это будет... Я не знаю, как долго меня не будет. Но как только я смогу, я вернусь.

Дверь за ним закрылась. Ли услышала его торопливые шаги по дорожке, хлопнула дверца грузовичка, заурчал мотор, и Чед уехал.

Изумленная, потрясенная, она повернулась, оглядела комнату. Ли показалось, что она никогда не видела ее раньше. Вот стоит диван, где всего несколько минут назад Чед обнимал и целовал ее. А теперь комната опустела. И такая же пустота образовалась в ее сердце.

Много дней Ли пыталась прогнать Чеда из своих мыслей. Но ей это не удавалось. Он все время был рядом с ней — когда она работала, когда играла с Сарой, когда в одиночестве сидела в гостиной и смотрела телевизор, когда лежала без сна в кровати, когда спала.

Может быть, Чед Диллон был врачом? Кто еще бросается из дома по первому зову и оставляет номер телефона, по которому его можно найти? Но у человека, звонившего Чеду, был голос отнюдь не очаровательной девушки из службы переадресовки звонков. Голос принадлежал мужчине, звучал резко и неприветливо. Этот голос только разбудил в Ли тревогу.

А может быть, Чед был преступником? И его предупредил сообщник...

Господи, Ли, ты просто сходишь с ума! Конечно же, никакой Чед не преступник. В этом городе он был слишком на виду, его все хорошо знали. Ли вспомнила тот день, когда Чед пригласил ее на ленч, вспомнила оживление женщин, улыбки мужчин. Когда Чед привез ее обратно на работу в торговый центр, Ли попыталась выяснить у своих рабочих кое-что о нем. Те явно хорошо знали Чеда Диллона. Но ее вопросы ни к чему не привели. Мужчины становились неразговорчивыми и упрямыми и уверяли ее, что им неизвестно, чем сейчас занимается Чед. Зато все с удовольствием вспоминали, как здорово он играл в футбол.

Наступил День благодарения, и к Ли приехали родители. Они не хотели, чтобы Ли с малышкой пускалась в нелегкое путешествие к ним, в Биг-Спринг.

— Неужели жизнь тебя так ничему и не научила? — раздраженно спросила мать. —

Ты родила ребенка на обочине шоссе, тебе помог человек, о котором мы вообще ничего не знаем. Он мог просто бросить тебя там, убить или сделать что-нибудь похуже. Кто знает, в какую переделку ты опять угодишь! А у тебя теперь ребенок! — Миссис Джексон отчитывала Ли так, словно той не исполнилось и пяти лет.

Ли обреченно вздохнула и сдалась. Да, разумеется, лучше будет родителям приехать к ней.

Они привезли с собой индейку и все необходимое для стола. Но Ли ела без всякого аппетита.

— Ты плохо себя чувствуешь, дорогая? — с тревогой спросил ее отец. — Какие-нибудь неприятности на работе?

— Нет, все в порядке, — с деланым оживлением ответила Ли. — Я просто задумалась о том, можно ди будет использовать рождественские украшения в следующем году. Только и всего. — «Лгунья», — тут же осудила она себя. Она думала только о Чеде. Где он проводит День благодарения? И вообще, празднует ли он его? И с кем он в эту минуту? Но ни за что на свете она не призналась бы родителям, о чем она думает на самом деле.

Сара капризничала весь день. Ли уже выбилась из сил, пытаясь успокоить малышку.

— Возможно, у нее режутся зубки? — предположила Лоис Джексон.

— Она еще мала для этого, мама.

— У тебя прорезался первый зуб, когда тебе было пять месяцев.

— Может быть, ты и права, — устало согласилась Ли. Ей не хотелось спорить. У нее было только одно желание — узнать, где сейчас Чед и что он делает. — У Сары и животик расстроился.

— Ну правильно. Это верный признак. У нее точно режутся зубы.

Ли с облегчением вздохнула, когда родители собрались уезжать. Ей легче было в одиночку, пристальное внимание родителей было тягостно. Ли с Сарой отправились спать.

— Ты тоже без него скучаешь? — спросила у дочки Ли, укладывая малышку.

Несмотря на усталость, ей никак не удавалось заснуть. Лежа с широко раскрытыми глазами, Ли рассматривала тени на потолке. Что ей, в сущности, известно о Чеде Диллоне? Судьба свела их при странных обстоятельствах, вряд ли такое часто случается — в современной цивилизованной Америке женщина рожает на дороге, и посторонний мужчина принимает у нее роды. Потом он снова появляется в ее жизни, а она ничего не знает ни о нем самом, ни о его семье...

Ли резко села в постели. Семья! А что, если он женат? Вдруг он ей лгал с самого начала или успел жениться за те четыре месяца, что прошли после рождения Сары? Может быть, ему поэтому и позвонили — чтобы предупредить. Его жена могла узнать о начавшемся между ними романе...

Нет, похоже, семейные дела здесь ни при чем. Этот телефонный звонок определенно был вызван какой-то необходимостью. Может быть, несчастный случай? Его жена попала в аварию. Чед спрашивал: «Где?.. Плохо?» Наверное, так и есть. Его жена и четверо или трое детей попали в ужасную аварию.

«Нет, нет, не глупи», — одернула себя Ли и снова легла. Чед не женат. Она чувствовала это. Но она так много хотела узнать о нем. Чем он занимается? Где живет? Почему он ждал четыре месяца, прежде чем появиться у нее?

И ее мысли все время возвращались к тем сладостным минутам, которые прервал телефонный звонок. Чед целовал ее, ласкал, как ни один другой мужчина. Как бы Ли ни винила себя, она не могла не признать, что Чеду удалось разжечь в ней чувства и желания, доселе совершенно ей незнакомые. Грегу никогда не удавалось довести ее до такого возбуждения.

Ли металась по постели, пытаясь найти удобное положение. Но она слишком хорошо помнила прикосновение его чутких пальцев, его поцелуи, помнила, как Чед сдерживал себя, пока не понял, что ее возбуждение так же велико. Его руки, такие дерзкие и опытные, доводили ее до исступления. Чед потрясающе целовался, Ли понимала, что за этим стоит богатая практика, но она чувствовала, что Чед искренне хотел доставить ей наслаждение. Он не торопил, не подгонял ее, он ждал ее реакции, чувствовал ее и отвечал на ее порывы. Даже наивность Ли не мешала ей понять, что Чед знал многих женщин...

Стоило ли удивляться, что он так популярен среди женского населения города? И крошка Сара, и старушка миссис Ломакс, и официантка Сью — никто в ресторане не обошел Чеда своим вниманием. Несомненно, Чед принадлежит к числу тех мужчин, которые любят женщин. Он был уверенным в себе и чувственным. Он знал, как произвести впечатление, зацепить женщину и привязать к себе. И она тоже попалась на его обаяние.

Ли застонала, вспоминая прикосновения его горячих губ, его чувственный, волнующий голос, его дерзкие ласки, которые лишали ее разума. Больше всего на свете ей хотелось быть с ним, чувствовать тяжесть его тела, ощутить, как его сила наполняет ее лоно...

Боже, да что же это с ней такое? Она самостоятельная, практичная, разумная женщина. Подумать только, до чего она дошла! Она справилась со своим горем, смогла наладить свою жизнь, одна растила дочку. Она твердо обещала родителям, что сама преодолеет все трудности. Нет, она не может позволить эротическим фантазиям о мужчине, с которым она едва знакома, разрушить ее жизнь!

Повторяя эту фразу снова и снова, Ли безуспешно пыталась уснуть.

— Вот мой вариант оформления, — сказала Ли членам комитета. — У каждой улицы будет своя тема. На одной улице елки будут украшены только шарами, на другой — исключительно бантами, на третьей — колокольчиками, и так далее. Поставщик из Далласа готов предоставить нам все материалы. Везде будут использованы только красный, белый, золотой и серебряный цвета. Если кто-то захочет выставить у своего дома фигуру Санта-Клауса, или оленя, или ангела, это не возбраняется. Все улицы сходятся у церкви. Там мы разместим вертеп. Вы представляете, как это будет выглядеть?

Пять человек дружно кивнули. Комитет собрался во вторник после Дня благодарения, чтобы решить, как надеялась Ли, раз и навсегда, как жители квартала будут украшать свои роскошные дома к Рождеству. Так как члены комитета никак не могли прийти к согласию, Ли решила предложить свой вариант, который можно было бы осуществить без особых проблем.

— Мы также украсим фасады домов, границы участков и деревья белыми лампочками. Это просто, но красиво. Но вы должны высказать свое мнение об этом сегодня.

Мистер Пэтбут, которому явно нс терпелось побыстрее покончить со всем этим, решительно провозгласил:

— Я согласен, и давайте на этом закончим.

— Но это как-то уж слишком скромно, — подала голос внушительного вида дама.

— Я сразу так и сказала, — не стала возражать Ли, хотя ей хотелось взвыть от отчаяния. Но она получила бы за этот проект приличную оплату, поэтому ей нужно было следить за собой и не давать волю своему острому языку. — Если бы мы начали работать раньше, мы бы могли позволить себе нечто более изысканное. На следующий год нам придется начать планировать все еще в сентябре. Но я уверена, что это оформление будет отлично смотреться. В нем есть и единство замысла, и индивидуальный образ каждой улицы. А дополнительное освещение сделает квартал самым приметным местом в городе.

— Когда же вы сможете начать работы? — спросил нетерпеливый Грегори Пэтбут.

Ли прекрасно знала, что у этих людей нет проблем с деньгами.

— Я могу попросить поставщика прислать все самолетом. Если я позвоню ему сегодня, то в четверг все будет доставлено. Тогда закончить работу можно будет уже в эти выходные. Вы хотите, чтобы я наняла электриков, или предпочитаете сделать это сами? Люди, которые работают со мной в торговом комплексе, я надеюсь, не откажутся от дополнительного приработка к Рождеству. А я, со своей стороны, могу им дать самые лучшие рекомендации.

— Отлично, — заявил мистер Пэтбут. — Вы избавите нас от лишних хлопот.

— Ну что ж, тогда мне останется лишь спросить, все ли готовы одобрить этот проект?

— Полагаю, что все, — ответила хозяйка роскошного дома миссис Хэзлчейз. — Мы уже побеседовали практически со всеми владельцами домов в нашем квартале. Все они готовы принять ваши предложения. Вот только с Чедом не удалось увидеться.

— Он просто неуловим, — неодобрительно заметил мистер Пэтбут, — я слышал, он снова в Мексике.

При упоминании имени Чеда ручка Ли, которая быстро бегала по ее блокноту, замерла. Ли напряглась, сердце ее бешено забилось. «Не хватало еще покраснеть, как девчонке-школьнице», — со страхом подумала она.

— Еще один ужасный пожар, как я слышал, — продолжал мистер Пэтбут.

— Пожар? — как можно спокойнее переспросила Ли. Неужели эти люди говорят о Чеде Диллоне?

— Да. Владелец одного из домов в нашем квартале работает на «Фламеко».

— «Фламеко»?

— Вы никогда не слышали о «Фламеко»? — удивился мистер Пэтбут.

— Нет, — покачала головой Ли. — Я ведь не так давно живу здесь.

— Эта компания известна по всей стране. Ее штаб-квартира находится у нас, в Мидлэнде. Эти парни занимаются тушением пожаров на нефтяных скважинах. Такая вот работенка!

От страха Ли не могла произнести ни звука. Она лишь медленно кивнула. Возможно, это не ее Чед. В конце концов, у него не такое уж необычное имя.

— Мне кажется, Диллон на них работает с того времени, как окончил колледж. Сколько уже лет прошло? В каком году Чед окончил колледж, не помните? Я все вспоминаю, как классно он играл в футбол. Черт побери, и почему этот парень не стал профессиональным футболистом! — Мистер Пэтбут заметно оживился. Он явно обрадовался, что может поговорить на любимую тему. Тема украшения квартала к Рождеству занимала его гораздо меньше.

Ли резко поднялась со своего места. Сумка, которая лежала у нее на коленях, упала со стуком на пол. Ли пришлось присесть на корточки и собрать ее содержимое, рассыпавшееся по полу. Руки у нее дрожали. Не поднимая головы, Ли сказала:

— Если мы обо всем договорились, то я могу уже приступать к работе. Не хочется терять время. Я буду вам звонить, но планируйте свои дела таким образом, чтобы мы могли, если будет необходимо, встретиться еще раз в эти выходные.

Ноги ее не слушались. Ли медленно вышла из помещения комитета и прислонилась к стене, пытаясь справиться с волнением. Только этого не хватало! Чед в Мексике, сражается с пожаром на нефтяной скважине. Работа невероятно опасная. А Чед — настоящий профессионал. О господи, за что ей это?! История с Грегом повторяется!

Ли оттолкнулась от стены и медленно побрела по дорожке. Мысли в ее голове набегали одна на другую, путались. Она никак не могла успокоиться. И вдруг Ли невесело рассмеялась. Такие специалисты, как Чед, получают целую кучу денег. Он свой среди этих богачей, а она-то, дура, приняла его за механика, у которого частенько не бывает постоянной работы. А Чед и не разубеждал ее. Ее тревога за него сменилась обжигающим гневом.

Ли резко распахнула дверцу машины, с шумом захлопнула ее за собой и тронулась с места. Она была вне себя от ярости. Ли схала мимо богатых особняков, старательно избегая смотреть по сторонам. Ей наплевать на то, какой из них принадлежит человеку, обманувшему ее. Нет, он не обманывал ее, просто он не сказал ей правды.

Слезы унижения и обиды текли по ее щекам. Будь он проклят! Он обнимал ее, целовал, а потом сбежал, чтобы тушить этот проклятый пожар. Это же настоящий ад на земле! Он оставил ее в такую минуту и бросился туда, где его подстерегала опасность, а может быть, даже и смерть...

Ли уже рыдала, когда машина остановилась на красный сигнал светофора. Чед наверняка предполагал, как она отнесется к его работе, поэтому намеренно все скрыл. Он сумел войти в ее жизнь, в ее душу и добился того, что она тоскует без него, да нет — мучается... Конечно, Чед не мог не понимать, что Ли никогда не приняла бы его, если бы знала, какая у него опасная работа. Ее грустная история была отлично известна ему, и Чед не захотел рисковать.

— Ненавижу его за то, что он мне солгал. Ненавижу его, — процедила Ли сквозь стиснутые зубы.

Но, повторяя эти слова снова и снова, она понимала, что лжет самой себе. Ей было больно признать правду, но она заявляла о себе каждой слезинкой, сбегавшей по ее щеке. Правда была в том, что она полюбила Чеда Диллона. И ничего не могла с этим поделать.

Ему хватило одного взгляда на ее чужое, замкнутое лицо, и Чед все понял.

— Ты все узнала, да?

— Да. — У нее была неделя, чтобы сотню раз обдумать все то, что она узнала о Чеде, но ее гнев и обида все еще жили в ее сердце.

— Я могу хотя бы войти? — спросил он.

— Не стоит, Чед...

Чед нервно мял в руках поля своей ковбойской шляпы.

— Я так боялся, что ты обо всем узнаешь раньше, чем я сам тебе расскажу. — Он посмотрел на нее. В его синих глазах была тревога. — Я собирался сам рассказать тебе обо всем, Ли. Увы, опоздал...

— Неужели? И когда же?

— Черт побери, я же знал, как ты отнесешься к мужчине, у которого такая опасная работа...

— И ты был прав. И я была бы тебе очень благодарна, если бы ты ушел.

— Я никуда не уйду, пока мы не поговорим, — не отступал Чед.

— Ты намерсн наговорить мне еще кучу лжи?

— Я никогда не лгал тебе.

— Но ты ни разу не сказал мне правды.

— Пожалуйста, позволь мне войти.

Неохотно Ли отступила в сторону, давая Чеду возможность войти в дом. Она не показала Чеду своего облегчения, когда увидела его целым и невредимым. Диллон выглядел просто великолепно. Волосы он так и не постриг, но по крайней мере они были причесаны. Загорелая кожа отливала бронзой. Ну конечно, мексиканское солнце. Он был одет просто — джинсы, рубашка, сапоги, но ему шла любая одежда.

Ли с неодобрением взглянула на собственные джинсы. Даже после стирки на них остались пятна — это Ли с азартом разрисовывала стену в комнате Сары. Джинсы давно уже потеряли вид и заметно сели после множества стирок. Красный свитер, который она так любила надевать, когда была дома одна, растянулся и висел на ней мешком. Ли была босиком. Весь день она проходила со строгой прической и как только переступила через порог, немедленно распустила волосы. И теперь непокорные пряди свободно падали на ее плечи. Но Ли и не подумала извиняться за свой внешний вид, как непременно сделала бы раньше. Это Чед должен объясняться, а не она.

— Где Сара? — спросил Чед, чтобы прервать затянувшуюся паузу.

— Спит. — Ли намеренно отвечала односложно.

— Уже? Еще нет и пяти часов.

— Она всегда немного спит перед ужином. Последнее время она часто капризничает. Мама считает, что у нее режутся зубы.

— Ты много работала?

— Да, — ответ прозвучал сухо. Ли села на диван. Чед присел на краешек стула и положил шляпу на колено. — Ты, может быть, знаешь, что в прошлые выходные я украшала твой дом к Рождеству. — В голосе молодой женщины послышались ядовитые нотки: — Шикарный дом! Я просто потрясена.

— Украшения тоже очень красивые, — натянуто ответил Чед, и Ли с удивлением уловила раздражение в его голосе.

— Спасибо. Я признательна тебе за то, что ты разрешил электрикам зайти внутрь.

— А ты сама заходила внутрь?

— Нет.

— Мне бы хотелось, чтобы ты увидела мой дом.

— Что ты говоришь?! Тогда почему же ты не пригласил меня в гости? — резко бросила она. — Почему я должна была узнать о тебе, о твоей работе, о твоем доме от посторонних людей, а не от тебя?! — Ли почувствовала, что начинает заводиться, и тут же одернула себя. У нее нет на это никакого права. Разве Чед принадлежит ей? Сколько раз они встречались? Один раз он пригласил ее на ленч. Дважды был у нее дома. Вот, собственно, и все. По какому праву она требует от него ответа? Ли решила, что, как бы ни было ей обидно, она не должна вести себя как привыкшая пилить мужа жена. Отчитывать его, злиться, копить обиду — это было выше ее сил.

Ли закрыла лицо руками.

— Прости, Чед. Я не знаю, что говорю! Разве я могу сердиться на тебя, предъявлять претензии? Ведь нас ничего не связывает, у нас даже не роман.

— Ошибаешься. Нас многое связывает. — Руки Ли упали, и она посмотрела на Чеда — прямо и отважно. Их глаза встретились. —

Я собирался рассказать тебе о моей работе в тот самый день, когда впервые приехал сюда. Я же знал, что тебе это не понравится. Да и какая нормальная женщина будет счастлива, узнав, что близкий ей человек постоянно рискует жизнью? Но когда ты заговорила о Греге, я понял, насколько ты не приемлешь все то, что связано с риском, с опасностью. И я могу тебя понять.

Чед встал с кресла, бросил шляпу на журнальный столик, опустился на колени рядом с Ли и заключил ее руки в свои.

— Ли, позволь мне все объяснить. Я не хотел обрушивать на тебя все сразу. Я должен был дать тебе время узнать меня получше, привыкнуть ко мне. Если бы все пошло хорошо, если бы у нас начался роман, как ты это называешь, я бы обязательно обо всем рассказал тебе. Мне не хотелось говорить ничего такого, что могло бы настроить тебя против меня.

— Ты поступил нечестно, Чед.

— Нет! Мое единственное оправдание в том, что я очень хотел тебя. И сейчас хочу. — Он взял прядь ее волос и поднес к губам. Не сводя глаз с Ли, Чед провел шелковистым локоном по губам. — Пока я работал, я думал только о тебе — как ты говоришь, как смеешься, как выглядишь, как замечательно пахнешь. Я вспоминал твой вкус, Ли. Я думал о том, как твои губы отвечают мне, как мои губы, мой язык касаются твоей нежнейшей кожи.

«Если он дотронется до меня, я пропала», — в отчаянии подумала Ли. Даже теперь, зная, чем он занимается; помня, что она поклялась никогда больше не связываться с мужчиной опасной профессии, для которого работа важнее всего на свете; не забывая о том, что Чед лгал ей, Ли была не в состоянии противиться себе — ей хотелось зарыться пальцами в его волосы, ощутить его крепкие мускулы под загорелой кожей, коснуться губами его груди, опускаться все ниже, не сдерживая, не останавливая себя, преодолевая смущение...

Отчаянный плач Сары вырвал Ли из океана желания, который медленно и неотвратимо поглощал ее.

— Сара, — сказала она, хотя в этом не было никакой необходимости.

Чед поднялся и сделал шаг в сторону. Ли бросилась в спальню. Она торопилась не столько из-за девочки, сколько из-за себя самой. Она не должна любить Чеда Диллона. И она не будет!

— Что случилось, что такое? Почему мамино солнышко плачет? — ворковала Ли, переворачивая малышку на спину.

— Сара так подросла, — раздался голос Чеда у нее за спиной. Он тоже нагнулся к кроватке, и его бедро коснулось плеча Ли. И это прикосновение недвусмысленно дало ощутить Ли всю силу его желания. Одной рукой Чед оперся о край колыбели, и Ли оказалась в ловушке.

— Да, она выросла. — Молодая женщина слышала, как смятенно звучит ее голос. — Мне давно пора укладывать малышку спать в кроватке в ее комнате, а не здесь, в колыбели, рядом со мной. Я хотела попросить отца собрать кроватку, когда они были у нас в последний раз, но в хлопотах совершенно забыла это сделать. — Ли не стала говорить Чеду, чем на самом деле были заняты в те дни ее мысли.

— Я могу это сделать, почему же ты раньше не сказала мне?!

Ли сменила Саре памперс. Девочка не плакала, хотя ее мать заметно нервничала, отчего ее движения были резкими и неловкими. Ли вынула малышку из колыбели и повернулась в том небольшом пространстве, что оставил ей Чед.

— Я не могу просить тебя об этом, Чед.

— Ты и не просила, я сам вызвался. Так где стоит кроватка?

— Во второй спальне. Она все еще упакована в коробку! — крикнула Ли ему вслед — Чед уже выходил из комнаты.

Когда Ли с Сарой на руках вошла во вторую спальню, Чед задумчиво разглядывал длинную плоскую конструкцию, извлеченную из коробки.

— И это детская кроватка? — со смехом спросил он.

— Видишь, я же тебе говорила. Это довольно сложно и...

— У тебя есть набор инструментов или хотя бы отвертка? Впрочем, неважно, у меня в пикапе все есть.

— Чед, в самом деле, не стоит...

Чед не дал ей договорить. Поцелуй его был быстрым, яростным и жадным. Ли показалось, что земля качнулась у нее под ногами. Ли прижала к себе дочку, боясь выронить ее из ослабевших рук.

— Вот оно. Я нашел верный способ тебя успокаивать. Если ты приготовишь мне сандвич и чашку кофе, это будет щедрой платой за работу. Заметь, я не прошу большего. — Он поцеловал Ли еще раз, на этот раз в лоб, как капризного ребенка, потом отстранил и отправился за инструментами.

Кипя от негодования, Ли пошла на кухню. Но что ей делать? Не выгонять же Чеда, в конце концов? Она уложила Сару в корзинку на полу, чему девочка явно очень обрадовалась. Ли едко улыбнулась. Он просто не представляет, что его ожидает! Когда молодая женщина услышала, как Чед задорно насвистывает, возвращаясь в дом, это только подлило масла в огонь. Ли просто рассвирепела.

— Он врывается сюда и распоряжается, как у себя дома. Можно подумать, это его дом. А это не так. Это мой дом. Мы сами справимся, Сара. Мне не нужен ни он, ни кто-либо другой, и я прямо скажу ему об этом, как только он закончит собирать твою кроватку. А пока пусть помучается!

Сара захлопала в ладоши, будто поняла все, что сказала ее мать, и отнеслась к ее словам с радостным одобрением.

Чед не говорил ей правды, и Ли рассердилась. Но когда он снова появился у нее на пороге, она буквально упала в его объятия и ответила на его поцелуй. Такова была истина.

— Сара, ну что же мне делать? — простонала Ли. Девочка ответила ей веселым смехом.

Ли поставила на поднос тарелки с холодным мясом и ломтиками сыра, достала из хлебницы ржаной и пшеничный хлеб и сварила кофе. Потом поискала, что есть еще вкусненького в холодильнике, нашла оливки и маринованные огурчики. Она вспомнила про печенье и чипсы, хотя этот синеглазый наглец совершенно не заслуживал такой заботы. Ли наполнила тарелку с подогревом овощным пюре для Сары и включила ее в розетку. Когда все было готово, она направилась к маленькой спальне, чтобы позвать Чеда.

Но вместо того, чтобы голосом армейского сержанта рявкнуть: «Кушать подано», Ли расхохоталась: Чед сидел на полу, сложив ноги по-турецки, окруженный шурупами, болтами и гайками, деревянными перекладинами и кипой инструкций по сборке кровати.

— Тебе это кажется смешным? — воинственно поинтересовался он. — Что за кретин сочинял все эти инструкции? Чтобы их понять, надо быть либо идиотом, либо гением. Я не очень уверен, кем именно.

— Возможно, еда подстегнет твой мыслительный процесс.

— Звучит отлично! — Чед с радостью вскочил на ноги.

— Не жди слишком многого, — предупредила Ли весьма нелюбезно, ведя его в обеденный уголок, прилегающий к кухне. — Я, как ты понимаешь, не ждала сегодня гостей, — добавила она для пущей строгости.

Вдруг Ли чуть не споткнулась — это Чед схватил ее за пояс джинсов и резко потянул назад. Его губы оказались у самого ее уха.

— Я заставлю тебя порадоваться тому, что ты сегодня вечером не одна, — прошептал он с чувством.

Ли высвободилась из его объятий и поправила свитер в тщетной надежде показать, что ее это нисколько не трогает. Ее лицо пылало от возмущения. Грудь вздымалась и опускалась. К тому времени, как Ли придумала ответ, Чед уже ел свой первый сандвич.

Он уплел два сандвича, проглотил пакет чипсов, немалое количество маринованных огурчиков и оливок и шесть штук печенья, а Ли только-только дошла до половины сандвича. Она еще кормила Сару, на которой и было сосредоточено все ее внимание.

— Давай я докормлю ее, а ты поешь, — предложил Чед.

— Нет уж, я сама, — холодно ответила Ли. — Боюсь, Сара не станет у тебя есть.

— Я наблюдал за тем, как ты это делаешь. Думаю, я справлюсь. — Чед взял у нее ложку, и Ли окончательно стало ясно, что мистер Диллон не принимает «нет» в качестве ответа.

У него на удивление хорошо все получилось. Только одна ложка овощного пюре оказалась не во рту у Сары, а на его блестящем сапоге.

— Я на тебя совсем не в обиде, Сара, — добродушно прокомментировал это событие Чед, вытирая малышке рот. — Ты еще молодец, я бы ни за что не стал есть эту гадость.

Ли совсем не хотелось, чтобы Чед был таким остроумным, веселым и приятным в общении. Ей было бы куда легче, если бы он злился и брюзжал. Если бы рявкнул как следует. Ли совсем не нравилось, что он чувствует себя в ее кухне совершенно свободно и мешается у нее под ногами, пока она моет и убирает посуду. И почему это Сара так мило с ним курлыкает и смеется? Ведь она так редко видит Чеда. И Ли вдруг поймала себя на том, что обиделась на девочку. «Это уж слишком!» — сказала она ссбе.

— Что ж, пора снова приниматься за работу, — Чед передал Сару матери и отправился в спальню, где его ждала так и не собранная детская кроватка. Сара недовольно захныкала.

— Предательница, — прошептала Ли, унося девочку в спальню, чтобы уложить ее в постель.

«Он был с тобой мил, но это ничего не меняет, — напомнила себс Ли. — Сегодня вечером он здесь. А что будет завтра? Что будет на следующей неделе, когда его снова вызовут бороться с огнем на нефтяной скважине в любой точке мира и никто не будет знать, когда он вернется? Ты хочешь еще раз пережить все это, Ли?» Увы, она знала ответ на этот вопрос.

Спустя полчаса Ли вышла из спальни и заглянула в открытую дверь.

— Не могу поверить, — изумленно воскликнула она с порога.

Сидя на полу, Чед повернул к ней голову и отрапортовал:

— Все готово, осталась самая малость, — еще один поворот отвертки, и он встал и потянулся, разминая затекшие мускулы. — Ну, скрести пальцы на удачу.

Чед проверил рычажок, регулирующий высоту перекладины с одной стороны кроватки, и сам с удивлением наблюдал, как действует механизм.

— Черт меня подери, а ведь работает, — рассмеялся Чед.

— Теперь в этой комнате не хватает только ребенка, — заметила Ли.

Чед посмотрел на кроватку, на кресло-качалку с удобными подушками, на занавески на окнах и на забавные фигурки малышей — девочки и мальчика, которые Ли нарисовала на стене.

— Я думаю, что ты права. Где она?

— Сегодня Сара будет спать на своем обычном месте.

— А ты уверена, что хочешь перевести дочку в другую комнату? — Чед тонко угадал ее настроение.

— Нет, — призналась Ли. — Я ненавижу спать од... — Ее взгляд метнулся к его лицу, чтобы понять, заметил ли он ее оплошность.

Чед заметил. Он сделал два широких шага, оказался рядом с ней и положил свои сильные руки ей на плечи.

— Ты не должна спать одна, Ли. Ни этой ночью и никогда больше.

Его руки представляли для нее самую большую опасность, и тем не менее в его объятиях Ли чувствовала себя в полной безопасности. Чед попытался поцеловать ее, но она стиснула губы и отчаянно замотала головой.

Но ее сопротивление не обескуражило Чеда. Когда Ли не ответила на его поцелуй, Чед лсгко приподнял ее просторный свитер. Он не желал сдаваться и ласкал ее соски. И Ли против своей воли ответила ему, издав страстный возглас, чем Чед не прсминул воспользоваться.

Их поцелуй стал доказательством того, как отчаянно они хотят друг друга, как нуждаются друг в друге. Пальцы Чеда коснулись кружевной чашки бюстгальтера и пробрались внутрь. Он ласкал ее, восхищался ею, любил ее.

— Ты хочешь меня так же сильно, как я хочу тебя, Ли. Черт побери, тебе не удастся меня обмануть, — прошептал он ей на ухо. Кончик языка коснулся мочки ее уха, потом Чед мягко прихватил мочку зубами и легко сжал. Ли вздрогнула, по спине у нее побежали мурашки, и она сдалась. С ее губ сорвался глубокий вздох. Но Чед не собирался щадить ее. Он так неторопливо и томительно долго целовал ее, что Ли подумала, что сейчас умрет, если не получит его целиком.

Она не помнила, как обняла его, выгнулась ему навстречу, давая волю своему желанию. Ли не сознавала, что делает. Она только почувствовала, как их тела слились, став одним целым, совпав, словно части рассыпанной головоломки. Но было уже слишком поздно. Разум уступил место чувствам. Она потерлась грудью о ладонь Чеда. Ее сосок стал твердым, словно маленький камешек.

Его язык забрался в ее рот, ощущая его тепло и влагу.

Чед расстегнул ей лифчик, и налитая красивая грудь Ли предстала перед его глазами. Она потянула рубашку из его джинсов и запустила руку под нее, лаская упругие мускулы, а потом робко коснулась волос на груди.

— Господи, Ли, я должен любить тебя. Ты же видишь сама. — Его руки лежали у нее на плечах, Чед нежно, но непреклонно принуждал ее лечь на ковер. Но наткнулся на отчаянное сопротивление.

В голове Ли зазвенели сигналы тревоги. Ситуация грозила перерасти в катастрофу. Для Ли секс оставался неотъемлемой частью серьезных отношений. Если она полюбит Чеда, то никогда не сможет отпустить его от себя. Он может войти в ее жизнь и остаться в ней только в том случае, если он будет с Ли всегда.

— Нет, Чед, — в ее глазах появилось страдальческое выражение. — Нет.

— Но почему, Ли? — Он, отстранившись, с отчаянием провел рукой по волосам. — Почему? Это просто безумие, говорить «нет», когда мы оба так отчаянно хотим близости. Ты знаешь это так же хорошо, как и я.

Его уверенность раздосадовала Ли, развеяла остатки чувственного тумана, в котором она пребывала. Все сразу стало па свои места. Она отказала Чеду, подавила собственные чувства, и это сводило ее с ума.

— Да, я сумасшедшая, — крикнула Ли, — но мое безумие в том, что я позволила тебе снова переступить порог этого дома после того, как ты обманул меня!

— Я не обманывал тебя, когда целовал.

— Неужели? Разве ты таким образом не пытался подготовить почву, воспользоваться моими чувствами одинокой женщины, приручить, а потом объявить о том, насколько опасна твоя профессия? Подумать только — я доверилась тебе, была готова просить тебя остаться, а ты все время лгал мне. Это отвратительно.

От ярости у Чеда на скулах заходили желваки.

— А теперь кто же кого обманывает, а? Ты обманываешь сама себя! Ты ведь, кажется, не испытывала отвращения, когда мы ласкали друг друга на твоем диване? Ты наслаждалась каждым мгновением. И несколько минут назад я тоже не казался тебе отвратительным. Если бы ты позволила событиям идти своим чередом...

— Конечно, тебе виднее, у тебя большая практика, — холодно остановила его Ли.

Чед какое-то мгновение смотрел на рисунки, недавно сделанные Ли на стене, бормоча ругательства. Он снова повернулся к Ли и со вздохом сказал:

— Мне следовало с самого начала рассказать тебе, как я зарабатываю на жизнь. Я прошу прощения за то, что скрывал это от тебя. Но, поверь, никакого хитрого умысла у меня не было. Мы слишком мало знаем друг друга.

— Ты достаточно хорошо узнал меня, чтобы скрывать это от меня! — горячо ответила Ли.

— Но ты не была готова принять правду!

— Я никогда не буду к этому готова.

— А может, стоит попробовать?

— Я уже один раз попробовала. И ты знаешь, что из этого вышло. Моего мужа застрелил подросток, накачавшийся наркотиками. Он оставил меня вдовой, а свою дочь сиротой. Я больше не желаю рисковать, я просто боюсь, Чед!

— Подумай о том, как нам хорошо вместе. Вспомни о наших поцелуях, о наших ласких, а потом скажи, что ради этого не стоит даже пытаться.

— Нет, не стоит! Я же сказала тебе!

— Ты просто трусиха!

— Именно так! Об этом я и пытаюсь сказать тебе. Я не хочу демонстрировать свою храбрость каждый раз, когда ты будешь отправляться на задание. Я так уже жила. Но больше я так жить не хочу. Никогда. Нам лучше остановиться сейчас, пока еще ничего не началось. Прошу тебя, Чед, уходи. Я не могу больше с тобой встречаться.

В комнате повисла тишина. Они оба не могли поверить этим словам, которые только что произнесла Ли. Она и сама не понимала, как решилась сказать такое.

Когда зазвонил телефон, Ли выбежала из комнаты. Это был очень подходящий предлог, чтобы скрыться от пронзительного взгляда Чеда.

— Алло! Я слушаю...

— Это Ли?

— Да-да, это я!

— Говорит Амелия Диллон, я мать Чеда. Мой сын у вас?

— Да, он здесь, миссис Диллон. — Интересно, он всему городу сообщил о том, что направляется к ней в гости? — Подождите, пожалуйста, минутку, он сейчас возьмет трубку.

— Нет-нет, — поторопилась остановить ее женщина. — На самом деле я хотела поговорить с вами. Чед звонил нам, когда сегодня днем вернулся из Мексики, и предупредил, что проведет вечер у вас дома. — Ли вцепилась в трубку так, что даже суставы пальцев побелели. Этот негодяй был настолько в ней уверен! Он все принимает как должное! — Я хотела пригласить вас вместе с Сарой, — продолжала мать Чеда, — к нам на обед в это воскресенье. Мы собираемся наряжать рождественскую елку. Может быть, вы присоединитесь к нам? Чед так много рассказывал нам о вас, что нам просто не терпится познакомиться с Сарой и, конечно, с вами. Представить только, что мой сын принимал роды на обочине шоссе, и все это происходило в кузове его ужасного грузовика!

Амелия Диллон сразу же понравилась Ли, но молодая женщина не считала, что может провести с Чедом и его семьей целый день. К тому же она только что заявила ему, что больше не собирается с ним встречаться. Как же ей отказаться от приглашения и не обидеть при этом миссис Диллон? Ли не приходило в голову ничего подходящего.

— Спасибо за приглашение, миссис Диллон. Звучит заманчиво.

— Мы будем вам очень рады. До встречи в воскресенье, Ли. Попросите, пожалуйста, Чеда не лихачить по дороге домой.

Ли положила трубку и медленно повернулась. Чед вошел следом за ней в гостиную.

— Звонила твоя мать. Она пригласила нас с Сарой на обед в следующее воскресенье. Мы будем наряжать рождественскую елку. И еще она просила тебя не изображать из себя автогонщика.

— Для моей мамы обед означает ленч. Я заеду за тобой в половине двенадцатого. — Предупреждение о том, что ему не следует ехать слишком быстро он просто пропустил мимо ушей.

Прежде чем Ли успела возразить или отказаться, Чед с грохотом захлопнул за собой входную дверь.

5

Всю неделю Ли придумывала, как бы ей поприличнее отказаться от приглашения миссис Диллон. Она придумала сотню объяснений и все их сразу же отвергла. Каждое казалось ей либо надуманным, либо смешным, либо театральным, либо легко поддающимся разоблачению. Ли так ничего и не смогла выдумать, поэтому каждый день обзывала себя дурой — за то, что сразу вежливо, но твердо не отказалась от приглашения миссис Диллон и не предоставила Чеду самому разбираться с этой ситуацией и давать необходимые объяснения.

«Не стану я его любить, не буду, — твердила Ли самой себе. — Если я не придусь ко двору в его семье, он не станет со мной встречаться. Надеюсь, что я им не понравлюсь».

Но большую часть субботы она потратила на то, чтобы наверняка понравиться родителям Чеда. Пересмотрев свой гардероб и вещи Сары, Ли пришла к выводу, что им обеим не в чем идти в гости. Стоя перед зеркалом, она прикладывала к себе то одно платье, то другое, но ни одно не подходило к этому случаю. Одно полнило, в другом она выглядела слишком бесцветной, брюки тоже не годились — все они были повседневными. Сара из некоторых нарядных костюмчиков, как оказалось, уже выросла, на других оказались пятна от фруктов, не поддающиеся ни одному стиральному порошку.

Несмотря на все неудобства похода в магазин с ребенком, Ли отправилась вместе с Сарой в торговый комплекс. В одном из эксклюзивных детских магазинов Ли купила для дочки рождественское платье из красного бархата с вышитыми по подолу белыми цветами. Белые кружевные колготки и атласные башмачки завершали наряд. На тот случай, если малышка испачкает новое платье, Ли купила девочке комбинезон из облегченной джинсовой ткани и трикотажную кофточку в цветочек. Из кармана комбинезона выглядывал платочек такой же расцветки, что и кофта.

Девочку не слишком заинтересовали новые наряды, но яркая розовая бумага, в которую они были завернуты, ее просто заворожила. Ли посмотрела вниз и с ужасом увидела, как Сара с упоением рвет бумагу и засовывает ее в рот. Когда Ли пыталась вынуть изо рта малышки бумагу, она нащупала на нижней десне два крохотных бугорка. Ее мать была права: у малышки прорезались два нижних зуба. Вот это подарок к Рождеству! «Надо будет позвонить родителям!» — подумала Ли.

Для себя она купила брюки из мягкой синей шерсти от известного дизайнера. Шелковая блузка на оттенок светлее делала глаза Ли еще более синими. Она не устояла и перед новыми серьгами в форме цыганских колец. Они были чуть более экстравагантными, чем она обычно носила, но очень подходили к ее новому праздничному наряду.

Развешивая покупки в шкафу, Ли возблагодарила судьбу за то, что послала ей работу по оформлению богатого квартала. Чек на внушительную сумму сейчас очень ей пригодился. Благодаря ее контракту с торговым комплексом и пенсии Грега она не нуждалась в деньгах, но неожиданный заработок всегда оказывался кстати. Разумеется, ей все равно никогда не быть в одной команде с такими, как Чед Диллон.

Утро воскресенья выдалось ясным, но очень холодным. Ледяной ветер дул с северо-запада. Ли и Сара были уже одеты и готовы к выходу, когда Чед позвонил в дверь.

Он стоял на пороге, переминался с ноги на ногу и ежился, несмотря на теплое шерстяное пальто.

— Доброе утро!

— Привет, — коротко ответила Ли, хотя ее сердце екнуло при виде Чеда. Его глаза были такими же синими, как зимнее небо. Под теплым пальто она увидела спортивную куртку и рубашку. Его джинсы были явно новыми. Словом, как всегда, Чед был безупречен.

— Мы готовы, но я должна получше укутать Сару. — Ли уже надевала пальто.

Чед вошел в дом.

— Это едет с нами? — Он указал на большую, битком набитую сумку.

— Да, — не поворачивая головы, ответила Ли, заворачивая Сару в теплое одеяло.

— На какой срок ты планируешь остаться у моих родителей? — пошутил Чед. Ли выпрямилась, с трудом удерживая тяжелый сверток в руках, и встретилась взглядом с его смеющимися глазами. Она попыталась сохранить суровый вид, но не удержалась и улыбнулась в ответ. — Готова? — Ли кивнула. — Поехали. Я сам закрою дверь.

Ли дошла до половины дорожки и остановилась как вкопанная. Около ее дома стоял сверкающий темно-синий «Феррари». Она обернулась к Чеду и иронически посмотрела на него.

— Не говори мне, я угадаю сама. Ты выменял его на свой пикап, и при этом тебя еле-еле уговорили отдать твою эксклюзивную модель, — ее слова так и сочились сарказмом.

Чед нахмурился.

— Нет, мой пикап остался у меня. — Он подхватил Ли под локоть и повел к машине, стоявшей с включенным мотором.

Это оказалось непросто, но они все-таки наконец разместились на низких сиденьях вместе с Сарой и всеми ее вещами.

— Ты специально не взял эту машину в тот день, когда приглашал меня на ленч, верно? Ты намеренно приехал на грузовичке, потому что ты боялся — если я увижу «Феррари», то стану задавать неудобные вопросы. Я права?

— Да, — с вызовом ответил Чед. — Ты абсолютно права. Ты вообще, как я посмотрю, большая умница. Это очень осложняет общение с тобой.

— Спасибо за комплимент! И ты попросил Джорджа и других мужчин ничего не говорить мне о тебе, так?

— Да, ты опять угадала! — Машина выехала на оживленную улицу. Следующие несколько минут они молчали. Не стоит злить друг друга перед приездом к родителям Чеда. Ли постаралась немного разрядить обстановку.

— Где живут твои родители? — спросила она, когда Чед выехал на шоссе, ведущее на север от города.

— У них небольшое скотоводческое ранчо. Отец теперь управляет им.

— Теперь?

— Раньше он тоже работал в компании «Фламеко».

— Ах вот как, — только и смогла произнести Ли.

Ее благие намерения так и остались нереализованными. Всю оставшуюся дорогу они молчали. Сара вела себя как ангел — она просто уснула, прижавшись щекой к груди Ли. Молодая женщина не забыла положить салфетку между ротиком дочки и своей новенькой блузкой. Напряжение между Чедом, не сводившим глаз с дороги, и Ли, которая следовала его примеру, стало таким, что, казалось, между ними проскакивают электрические разряды.

— Тебе не холодно? — спросил он заботливо.

— Нет!

— Не возражаешь, если я сделаю температуру немного ниже?

— Пожалуйста.

Всего несколько фраз на двадцать с небольшим миль, которые отделяли поместье, скромно названное Чедом «ранчо», от города. «Феррари» свернул на частную дорогу. С одной стороны на просторном пастбище паслись херефордские коровы. Они проехали мимо десяти нефтяных скважин, послушно качающих «черное золото», потом Ли сбилась со счета.

А дом удивил ее еще больше. Величественное кирпичное оштукатуренное здание стояло среди тутовых и пекановых деревьев на берегу мелководной реки. Четыре внушительные колонны поддерживали балкон второго этажа. Темно-зеленые ставни обрамляли шесть высоких французских окон по фасаду.

— Вот мы и приехали, — сухо заметил Чед, избегая смотреть Ли в глаза. Он вышел из машины, вынул дорожную сумку, потом помог Ли с Сарой на руках выбраться с низкого сиденья.

— Подумать только, а я-то чувствовала себя неловко, когда ты купил мне цветы. Если бы ты знал, как долго потом я терзалась из-за этого! Я считала, что ты сидишь без гроша, — горько усмехнулась Ли.

Чед раздраженно поджал губы, но у него не осталось времени ответить, потому что высокая парадная дверь распахнулась, и на пороге появилась Амелия Диллон, вытиравшая руки о передник.

— Быстрее идите в дом. Сегодня такой ветер. Поторопитесь, пока ребенок не простудился. Добро пожаловать, Ли, мы вам очень рады. Привет, сынок. — Амелия обняла Ли и повела ее в дом. — Устраивайтесь здесь у огня. — Она провела молодую женщину через просторный холл, уходящий на всю глубину дома, в уютную гостиную. В огромном камине, занимавшем целую стену, ярко горел огонь. — Отец, они приехали! — крикнула мать Чеда, зовя мужа. — Чед, положи детские вещи в кресло. Ему уже ничего не повредит. Ли, позвольте мне взять ваше пальто. Хотя вы же не можете его снять, пока у вас на руках Сара. Позвольте мне...

— Мама, — вмешался Чед, обнимая мать за плечи. — Мы пробудем здесь целый день, но ты этого не выдержишь, если немедленно не успокоишься. Позволь тебе представить Ли Брэнсом.

Амелия нервно рассмеялась.

— Я такая трещотка, верно? Простите меня. Я просто давно хотела познакомиться с вами, — сказала она. — Здравствуйте, Ли.

Ли почему-то заранее казалось, что Амелия Диллон ей понравится, а теперь она в этом не сомневалась. Маленькая женщина с округлой фигуркой и посеребренными сединой волосами напомнила ей о Саре Брэнсом, ее свекрови, тоже всегда хлопотавшей о других, забывая о себе и своем здоровье. Ли заметила, что кое-где поседевшие волосы миссис Диллон когда-то были такими же жгуче-черными, как у Чеда. И глаза он тоже унаследовал от матери. Амелия Диллон смотрела на мир такими же яркими синими глазами, как и ее сын.

— Здравствуйте, миссис Диллон. Спасибо, что пригласили нас. Я так рада, что мы выбрались к вам.

— Ли, дай мне подержать Сару, а сама снимай пальто, — предложил Чед. Он взял завернутую в одеяло девочку, которая начала просыпаться.

— Ой, Чед, дай мне на нее посмотреть. — Амелия подошла поближе к сыну. — Ну какая же она красавица! Ты только посмотри на ее платьице, Чед. Какое очарование. А она не заплачет, если я возьму ее на руки?

— Не думаю, — ответила Ли, снимая пальто. Передав Сару своей матери, Чед отнес пальто Ли и одеяло Сары в холл и там пристроил на вешалке. Он вернулся, встретился взглядом с Ли, и они улыбнулись друг другу поверх головы миссис Диллон, ворковавшей над малышкой. Ли показалось, что в эту минуту словно какая-то общая радость сблизила ее с Чедом.

Ее гнев испарился. Она увидела, как смягчился его взгляд, и догадалась, что враждебность между ними утомила и его. Учитывая ее жизненный опыт и его профессию, их проблемы казались непреодолимыми, но они не шли ни в какое сравнение с тем влечением к Чеду, которое Ли больше не могла, да уже и не пыталась отрицать. Все случилось слишком быстро, слишком неожиданно, но разве можно остановить снежную лавину?

Ей вдруг безумно захотелось прикоснуться к нему. И Чед догадался об этом. Он подошел к ней, обнял за талию и прижал к себе. Ли в тот же миг забыла о его обмане, попыталась прогнать свои страхи и с наслаждением прижалась к Чеду.

Она подняла глаза и увидела его голодный взгляд. Это поразило ее. Ли увидела, что он просит ее о терпении, о снисхождении, прочла в его глазах обещание.

— Ли, она и в самом деле настоящее сокровище. — Амелия все восхищалась Сарой. Она подняла голову, и ее глаза вспыхнули. — Стюарт, иди к нам, — сказала она.

Ли обернулась к дверям и еле сдержала возглас изумления. Она выпрямилась и отстранилась от Чеда. Чед успокаивающе сжал ее руку.

В дверях стоял мистер Диллон. Это был очень крупный мужчина. В молодости, видимо, он был таким же сильным и мускулистым, как и Чед. Его лицо избороздили морщины. Его густые седые волосы немного отступили назад, делая лоб еще более высоким. Стюарт Диллон широко улыбался, приветствуя гостей. Но отец Чеда опирался на костыль. Вместо левой ноги была пустая штанина, заколотая булавкой у колена.

— Здравствуй, сын. А вы, вероятно, и есть Ли? — спросил он, и молодая женщина кивнула. — Рад вас видеть. — Он быстро прошел через комнату и протянул ей свою крупную мозолистую руку. — Прошу меня простить, я не надел протез, но в холодную погоду он причиняет мне неудобства.

— Здравствуйте, мистер Диллон, — легко улыбнулась ему в ответ Ли и пожала протянутую руку. Ей удалось скрыть свои эмоции. — Не стоит извиняться за то, что вы хотите чувствовать себя комфортно в собственном доме.

— Называйте меня Стюартом, — сказал он. — Ты был прав, сынок. Она красавица. — Ли покраснела, и все засмеялись.

— Чед такой ужасный, Ли, вы не представляете, — пожаловалась Амелия. — Он ничего нам о вас не рассказывал. Не сказал, блондинка вы или брюнетка, высокая или маленькая. Ничего, ни единого слова. Твердил только, что вы красавица.

— Дай-ка мне взглянуть на девочку, Амелия, — попросил Стюарт Диллон, и жена немедленно исполнила его просьбу. — Ты выбрал прехорошенького ребенка, сынок, чтобы помочь ему появиться на свет. — Он положил руку на плечо Чеда. Ли поразила та явная любовь, с которой члены этой семьи относились друг к другу.

Через полчаса Ли чувствовала себя так, как будто была знакома с семьей Диллон всю свою жизнь, настолько радушно они ее приняли. Дом был полон тепла и дружелюбия, его хозяева явно любили свой дом. Полы чуть поскрипывали под коврами с приятным звуком, говорившим о том, что в доме давно жили и часто принимали гостей. Ли всегда не хватало постоянного дома. В детстве и юности ей приходилось часто переезжать с родителями с места на место — как того требовала военная карьера отца. И она всегда завидовала семьям, осевшим на одном месте, как Диллоны.

В камине весело трещал огонь, пока они наслаждались горячим напитком из клюквы. Амелия немедленно сообщила Ли рецепт, стоило только молодой женщине заикнуться об этом. Саре дали печенье, и она с радостью его мусолила. Амелия повязала ей на шею фартучек, чтобы сохранить платье.

Гостиная была уютно украшена семейными реликвиями, вязанными вручную пледами и фотографиями Чеда в разном возрасте.

Перед одним из окон стояла высокая ель из Норфолка, ожидавшая, пока ее нарядят.

Амелия не стала отказываться от помощи Ли, когда та предложила помочь с обедом. Ли почистила картошку и накрыла на стол, отвечая на поток дружеских вопросов матери Чеда о ней самой и о Саре. Стюарт держал девочку на коленях, забавляя ее, а Чеда послали на чердак за елочными украшениями.

— Раз ты все равно туда идешь, не забудь принести высокий стульчик, — попросила его мать.

Чеду пришлось подниматься и спускаться несколько раз. Когда он наконец справился со всеми поручениями, обед был уже готов.

— Мой руки, Чед, и неси на стол жаркое. Ли, если вы достанете из холодильника овощи в желе, я пока посажу Сару на высокий стул.

— Я никогда раньше ее не сажала. Она еще не сидит.

— Предоставьте это мне, — доверительно сказала Амелия.

Чед вымыл руки на кухне, а Ли сняла предложенный ей Амелией фартук и достала из холодильника овощи в желе. Они лежали на тяжелом хрустальном подносе, и его приходилось держать обеими руками. Чед преградил Ли путь, когда она направилась к двери.

— Ты великолепно выглядишь сегодня, Ли, — негромко сказал он. — И ты понравилась моим родителям, хотя я и не сомневался, что так и будет.

— Они мне тоже понравились, — ответила Ли, поднимая тяжелый поднос.

Вдруг руки Чеда обхватили ее за талию, и он легко поцеловал ее, пренебрегая преградой — хрустальным блюдом между ними. Этот поцелуй пробудил в Ли такие ощущения, что они грозили погубить не только овощи в желе, но и ее твердое намерение противостоять ему. Она хотела Чеда и ничего не могла поделать с этим желанием.

— Чед, неси скорее жаркое, — поторопила его мать из столовой.

— И на вкус ты еще прекраснее, чем внешне, — так же тихо сказал Чед. Он отступил назад, отпустил Ли, лукаво улыбнулся и ринулся исполнять просьбу матери. Руки у Ли дрожали, как и поднос, когда она ставила его на стол.

— Я все равно с этим не согласна, — в который раз повторила Амелия. Не обращая на нее никакого внимания, Стюарт продолжал втирать бурбон в нежные десны Сары. — Я не одобряю крепкие спиртные напитки, тем более когда их дают ребенку.

— Это исключительно в медицинских целях, — успокоил жену Стюарт. Казалось, то, что Сара вовсю жует его палец, совершенно не беспокоило мистера Диллона. — Я поступал так же и с Чедом, когда у него резались зубы. И потом, ты сама давала ему виски с медом, когда он кашлял.

Амелия смутилась.

— Ли решит, что мы все совершенно ужасные люди.

— Нет, вы не правы, — рассмеялась Ли, чувствуя приятную расслабленность после вкусного обеда и веселого разговора, который Диллоны поддерживали за столом. — Мне кажется, что придется купить бутылочку бурбона. — Они с Чедом сидели рядом на диване. Он обнимал ее за плечи. Его пальцы лениво перемещались вверх-вниз по ее руке. Ли старалась не думать о его поведении на кухне. Каждый раз, когда она об этом вспоминала, Чед как будто читал ее мысли и игриво ей подмигивал.

Даже во время великолепного обеда он продолжал мучить ее. Внимательно слушая рассказ отца о том, как идут дела на ранчо, Чед массировал ногу Ли чуть выше колена. И она никак не могла сбросить его руку, не привлекая всеобщего внимания. И увернуться тоже не могла. Казалось, эта рука наделена сверхмощным радаром, а она его цель. И ей пришлось сдаться. Чед остался доволен. Ее колено было плотно прижато к его колену под белоснежной накрахмаленной скатертью.

— Расскажите мне еще раз, как вам удалось усадить Сару в этот высокий стульчик, — попросила Ли Амелию.

— Надо поставить поднос как можно ближе к ее грудке, затем привязать ее к спинке при помощи посудного полотенца или любого другого, что найдется под рукой. На многих стульчиках есть специальные ремни, которыс не позволяют ребенку соскользнуть вниз.

— Вас послушать, так легче научить ребенка сидеть самостоятельно, — с раздражающей логикой заметил Чед.

Ли и Амелия одновременно с возмущением посмотрели на него. А Чед и Стюарт только рассмеялись в ответ. Чед относился к родителям с любовью и уважением, выполнял их желания. Но они умели и поддразнивать друг друга. Ли поняла, что они жили дружно и весело все вместе, пока Чед рос. А то, что мать и отец гордились сыном, нс вызывало никаких сомнений.

— Вот так, — вздохнула Ли, когда Сара начала выгибать спинку и плакать. — Я думаю, ее хорошему настроению пришел конец.

— Почему бы вам не уложить ее спать наверху? — предложила Амелия. Она встала, чтобы проводить Ли.

— Я тоже пойду, — тут же сорвался с дивана Чед.

— Ты оставайся там, где сидишь, — сурово приказала ему мать. — Отец хочет, чтобы ты посмотрел с ним футбольный матч. — Чед смиренно опустился на свое место.

Ли взяла хнычущую девочку у Стюарта и пошла следом за Амелией вверх по лестнице.

— Это была комната Чеда, — хозяйка дома распахнула дверь в большую спальню. — Как вы видите, я ничего здесь не меняла. — В комнате так и остались фотографии самого Чеда и спортивных звезд, кубки, вымпелы, флажки. В углу стояли лыжи и висела теннисная ракетка. На отделанной панелями стене на специальном крючке так и остался футбольный шлем. — Если вы мне поможете, то мы придвинем кровать к стене, а с наружной стороны положим подушки, чтобы малышка не упала. — Ли улыбнулась. Амелия все предвидела заранее.

Женщины передвинули кровать и уложили Сару. Но девочка никак не желала спать. Ножки в новых башмачках колотили по матрасу, она устроила настоящую истерику. Личико Сары покраснело.

— Она в чужом доме, — посочувствовала Амелия. — Когда Чед был ребенком, он нигде не мог спать, кроме своей собственной постели.

— Может быть, если я полежу с ней рядом немного, то Сара скорее уснет, — сказала Ли, снимая туфли.

— Попробуйте. Я оставлю вас вдвоем. Уверена, малышка скоро перестанет капризничать и заснет.

Ли вытянулась на кровати рядом с дочкой и поглаживала ее спинку, пока та не успокоилась и не уснула. Ли взяла лежавший в ногах кровати плед, укрыла им себя и Сару. Она рассматривала фотографию Чеда в футбольной форме, пока сама не заснула.

Когда Ли проснулась, что-то восхитительное происходило с ее ухом. Она чуть шевельнула головой, но наткнулась на Чеда, склонившегося над ней.

— Проснись и поцелуй меня, женщина, — потребовал грубый голос. Теплые, упругие губы коснулись ее губ. Ли не хотелось открывать глаза, но она вынула руки из-под плсда, чтобы ласкать мускулистую спину Чеда.

— Господи, какая же ты вкусная, — прошептал он ей на ухо и продолжил делать то, что делал, чтобы разбудить ее.

Ли все-таки открыла глаза и увидела, что Сара мирно спит у самой стены. Чед стоял на коленях около постели. Его рука лежала на талии Ли, и почти без усилий он заставил ее повернуться к нему лицом. Он снова поцеловал ее.

— Чед, — выдохнула Ли, пока его губы ласкали ее шею. Его дыхание обжигало ее согретую сном кожу. — Ты не должен делать этого здесь.

— Подвинься.

— Твои родители...

— Они оба спят в своих креслах перед телевизором. Сегодня очень скучная игра. Подвинься, Ли.

Она повиновалась ему, отодвинувшись настолько, чтобы он мог лечь рядом с ней. Он накрыл их обоих пледом и нежно подтолкнул ее, чтобы она перевернулась на спину. Чед склонился над ней.

— Мы не можем...

— Ты так красива, — игнорируя ее лепет, произнес Чед. — У тебя такие синие глаза.

— Но с твоими им не сравниться.

— Неправда.

— Правда, — отбросив прочь осторожность и здравый смысл, Ли провела пальцем по его густым черным бровям. Она и не думала соблазнять его, но ее палец сам нашел дорогу, пробежав вдоль носа, обведя контур губ, приглашая к любовной игре. Чед отбросил всякую сдержанность и снова начал целовать ее неистово и страстно.

Чед расстегнул пуговицы на блузке Ли, не встретив никакого сопротивления, и его пальцы устремились к ее телу. Ее кожа ожила от его прикосновения. Чед с благоговением смотрел на нее.

— О, Ли, — вздохнул он.

Его пальцы играли с розовыми сосками, жаждущими его ласки. Они набухли, пока Чед наслаждался их видом, вкусом, нежностью. Они оказались такими чувствительными, когда он легко сжал их большим и указательным пальцами. Ли выгнулась ему навстречу, не сумев подавить стон наслаждения.

Чед опустил голову. Он целовал ее сосок, увлекая в водоворот страсти. Ли остро ощутила пустоту внутри себя, которую мог заполнить только Чед.

— Чед, — негромко воскликнула она, прижимаясь к нему.

— Я знаю, любовь моя, знаю. Я сам сгораю от желания, ты ведь это хотела сказать?

Его рука прикрыла ее грудь, словно защищая, а губы скользнули ниже. Он расстегнул ее брюки и добрался до ее пупка, лаская его резкими движениями языка.

— Ты просто восхитительна на вкус, — прошептал он. Чед наткнулся на тоненькую резинку ее узких трусиков. — Ли, я так тебя хочу. — Даже его голос был полон страсти.

Ли ощущала его возбуждение. Его твердый член касался ее бедра.

И снова будто молния озарила все вокруг, и Ли пришла в себя. Она напряглась и оттолкнула его.

— Нет, Чед, — вдруг прошептала она. — Прости меня, но я не могу. Не здесь. Не так. Не...

— Тс-с, Ли, — он заставил ее замолчать. — Я не собираюсь делать ничего против твоей воли.

— Прости меня, — повторила Ли, зажмуриваясь. Она прочла в глазах Чеда понимание и терпение. Пожалуй, ей даже не хотелось, чтобы он так хорошо понимал ее и был таким послушным и терпеливым. Может быть, ему следовало переубедить ее. Ведь и теперь ее тело жаждало удовлетворения.

Но это неправильно. Она не сможет выйти за него замуж, а любовная связь — это не ее история, хотя все ее тело трепещет от страсти и желания. И если она ощущает такую пустоту, то как же должен чувствовать себя Чед? Она открыла глаза и увидела, что он пристально смотрит на нее.

— Ты должен меня ненавидеть за то, что я только что сделала с тобой, — сказала Ли. — Но поверь, я сделала это не намеренно.

— Я знаю, — услышала она спокойный ответ. — И если тебе станет от этого легче, то скажу, что я тоже, наверное, не смог бы любить тебя при подобных обстоятельствах. Сейчас не время и не место.

Ли лежала не шевелясь, а Чед приводил в порядок ее одежду.

Закончив, он наклонился к ней и прошептал:

— Как ты думаешь, мне когда-нибудь удастся увидеть тебя обнаженной? — Его улыбка была добродушной и лукавой.

— Ты невозможен, — застенчиво улыбнулась в ответ Ли.

Чед хохотнул.

— А разве тебе не любопытно взглянуть на меня без одежды?

— Нет! — торопливо проговорила она.

Он улыбнулся, его зубы блеснули в полутемной комнате.

— Лгунья. — Ее возражений он не стал слушать, а снова поцеловал ее.

Потом они разбудили Сару, и Ли надела на нее джинсовый комбинезон, получивший искреннее одобрение Чеда. Он понес девочку вниз по лестнице. На последней ступеньке Ли вцепилась в его руку.

— Как ты думаешь, твои родители что-нибудь заметят?

— Ты о вспухших сосках? Нет, не заметят, если ты не станешь при них расстегивать блузку. — Он рассмеялся, увидев выражение ее лица. — Они могут заметить только одно — что мне с трудом удается держать себя в руках и не прикасаться к тебе. Будь осторожна. Я могу потерять контроль над собой — и тогда берегись.

И в самом деле, пока они наряжали елку, Чед изо всех сил старался не прикасаться к Ли. Только один раз, когда они оказались в тени ели у окна, — комната была освещена только елочной гирляндой, — Чед подошел к ней, обнял за талию, привлек к себе и поцеловал в шею.

— Чед, немедленно прекрати! — прошипела Ли. Но он только хмыкнул и легко ущипнул ее за попку.

Они уже закончили наряжать елку. Ли остановилась рядом с Чедом и наблюдала, как его родители играют с Сарой. Они то и дело давали указания Ли и Чеду, как повесить игрушки, но все их внимание занимала малышка. И она явно не осталась к ним равнодушной.

— Чед, — негромко окликнула его Ли. По ее голосу он понял, что Ли хочет задать серьезный вопрос, и напрягся. — Что случилось с твоим отцом? Как он потерял ногу?

Огни рождественской елки отразились в глазах Чеда, но Ли заметила, что он колебался, прежде чем ответить:

— На него упал кусок арматуры, когда он тушил пожар.

По ее лицу он сразу все понял и отвернулся. Чед громко хлопнул в ладоши и поинтересовался у матери, чем можно подкрепиться.

Амелия и Стюарт выразили свое восхищение украшенной елкой, пока они ели пирог с пекановыми орехами и взбитыми сливками. А потом Чед объявил, что пора везти Сару домой, пока еще не слишком поздно. Ли предложила:

— Если ты сможешь сложить ее вещи в сумку, я помогу твоей матери с посудой. Неловко оставлять это на нее одну.

Чед буркнул что-то в знак согласия, жалуясь при этом, что вещи Сары разбросаны по всему дому, но Ли не обратила на его слова никакого внимания. Стюарту поручили развлекать Сару, и он искренне обрадовался такому заданию.

Ли вытирала последнюю чашку, когда Амелия отобрала у нее и чашку, и полотенце и взяла молодую женщину за руки.

— Ли, ваш приезд сюда вместе с Чедом очень много значил для нас.

— Для меня тоже.

— Мы волновались из-за Чеда, — призналась Амелия.

— Из-за его работы?

— И из-за этого, конечно, тоже, но я говорю о его личной жизни. Мы боялись, что после Шерон он никогда больше не сможет никого полюбить. Побоится рисковать. Но мне кажется, что вас он очень любит.

В голове Ли звучало только одно — имя женщины.

— Шерон? — слабым голоском переспросила она. «Не хочу я ничего знать!» — звучал истерический голос внутри ее.

Глаза Амелии удивленно взглянули на нее.

— Вы ничего не знаете о Шерон? — недоверчиво спросила она. Ли покачала головой. — Ах, моя дорогая! — Амелия произнесла это спокойно, но была явно огорчена.

— Кто эта женщина? Прошу вас, скажите мне! — Ли даже не осознавала, с какой силой она вцепилась в пальцы пожилой женщины, пока не заметила, как Амелия поморщилась. Она отпустила ее руки и снова попросила: — Пожалуйста!

Амелия посмотрела на нее с сочувствием.

— Я думаю, об этом вам лучше спросить самого Чеда.

6

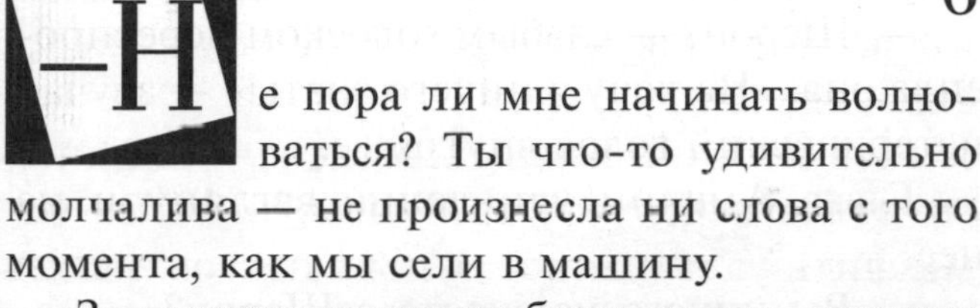

— Не пора ли мне начинать волноваться? Ты что-то удивительно молчалива — не произнесла ни слова с того момента, как мы сели в машину.

За окнами машины было темно, порывы ветра обрушивались на машину и торопились дальше. Узенький серпик луны, повисший на горизонте, не давал никакого света. Только фары машины Чеда прорезали темноту на пустынном гладком шоссе. Сара безмятежно спала на коленях у Ли.

Ли повернула голову и спросила:

— Кто такая Шерон?

Чед резко повернул голову, машина дернулась, разбудив Сару. Она напряглась, губки приоткрылись, как будто она что-то сосала, но через секунду Сара снова спала.

— Откуда ты знаешь о Шерон?

— Твоя мать случайно упомянула о ней. Но она ничего не захотела сказать мне. Она предложила мне спросить о ней у тебя. Так кто она такая, Чед?

Чед чертыхнулся и крепче сжал руль.

— Шерон была моей женой. Она покончила с собой.

Ли в оцепенении смотрела на него. Их разделяла темнота в машине. Казалось, ее сердце перестало на мгновение биться.

— Твоя жена? — выдохнула она. — Твоя жена? — словно не веря ему, еще раз переспросила Ли.

Чед коротко кивнул. Молодая женщина смотрела в черноту за окном, пытаясь осмыслить услышанное. Снова повернувшись к Чеду, она наконец смогла произнести:

— Почему ты не рассказывал мне о ней?

— Потому что она не имела отношения к делу.

— Не имела отношения к делу?! — Голос Ли сорвался на крик, и Сара снова заворочалась.

— Да, она не имела никакого отношения к нам. Мой брак никак не связан с теми чувствами, что я испытываю к тебе. Я впервые влюбился, Ли. Я не могу сказать, что не любил Шерон. Но я любил ее по-другому.

— Она совершила самоубийство?

Пальцы Чеда еще крепче вцепились в руль.

— Да.

— Почему, Чед?

— Черт побери...

— Почему, ответь мне! — снова крикнула Ли.

Завизжав тормозами, машина съехала на обочину и остановилась. Ли даже не сразу сообразила, что они стоят перед ее домом. Чед повернулся к ней, его глаза яростно сверкали. Это было заметно даже в темноте салона.

— Это случилось два года тому назад. Я работал на Аляске, там был сложный пожар. Дело было очень серьезным, нам потребовалась неделя, чтобы справиться с огнем. Шерон сообщили, что я ранен. Так оно и было на самом деле. Балка ударила меня по голове, я получил легкое сотрясение мозга. В детали случившегося никто не стал вдаваться. Шерон решила, что я изувечен и останусь инвалидом, как мой отец, и приняла целый пузырек снотворного не в силах справиться с нервным возбуждением и страхом.

Чед умолк и вышел из машины. Ли торопливо завернула Сару и выбралась с его помощью с низкого сиденья, когда он открыл перед ней дверцу.

— Где ключи? — спросил Чед, пока они торопливо шли по дорожке.

— Здесь. — Ли подняла руку, чтобы он мог достать их из ее сумочки.

Чед порылся в ней и наконец нашарил ключ. Спустя несколько секунд дверь открылась. Чед вошел первым, включил свет и повернул регулятор отопления, который Ли перед отъездом установила на более низкую температуру.

— Я сейчас принесу сумку, — сказал Чед.

Ли в каком-то странном, заторможенном состоянии отнесла Сару в ее новую комнату и уложила в кроватку. Ее руки двигались автоматически, пока она снимала с девочки нарядный комбинезон, меняла подгузник и надевала на нее пижамку. Ли негромко разговаривала с дочкой, хваля ее за то, что она так хорошо вела себя весь день, но думала она совсем о другом. У нее из головы не выходило напряженное выражение на лице Чеда, когда он рассказывал ей о смерти своей жены.

Она закончила одевать малышку, подняла голову и увидела, что Чед тоже стоит возле кроватки.

— Спокойной ночи, Сара, — он нагнулся и поцеловал девочку в щеку. Малышка живо ухватила его за нос. Он заворковал над ней, переворачивая ее на животик, поглаживая по спине. Наконец Чед вышел из комнаты.

Ли тоже пожелала спокойной ночи сонной крошке, страшась выйти в гостиную, где ее ждал Чед. Она выключила свет, оставив только слабый ночник. Больше у нее не осталось предлогов не выходить к нему.

Чед сидел на диване, уставившись в пол. Он сцепил пальцы рук и оперся на колени. Когда молодая женщина вошла в комнату, он поднял голову и взглянул на нее.

— Не сердись на меня за то, что не сказал тебе о Шерон, — начал он без всяких предисловий. — Учитывая обстоятельства ее смерти, я полагаю, ты понимаешь, что не слишком приятно говорить об этом, когда ухаживаешь за другой женщиной.

Оправдание было весьма легковесным, и Ли понимала, что Чед молчал по куда более веской причине. Она решила не отступать и довести этот тяжелый разговор до конца.

— Было много удобных случаев, Чед, когда ты мог рассказать мне об этом. Помнишь, когда ты подошел ко мне на дороге и помог мне, я спросила, женат ли ты. Ты мог ответить мне, что ты вдовец. Когда я говорила с тобой о Греге, ты тоже мог бы рассказать мне о Шерон. Или ты мог это сделать в тот вечер, когда мы выясняли все то, что ты от меня скрывал. Да, в самом деле, если бы хотел рассказать, случаев было более чем достаточно.

— Ну, ладно, — резко оборвал ее Чед, вскакивая на ноги. — Да, я не хотел говорить с тобой об этом!

— Это больше похоже на правду.

Чед с вызовом посмотрел на нее. Он заговорил негромко, спокойно, едва сдерживая гнев:

— Я не хотел рассказывать тебе об этом, потому что я предвидел твою реакцию. Ты бы решила, что смерть Шерон — это еще один довод в пользу того, что мы не должны быть вместе.

— Да, все правильно. — Ли буквально рухнула на диван. Она больше не сердилась, но от правды ей было не спрятаться. — О, Чед, как ты не понимаешь? Я бы не решилась на самоубийство, но я чувствовала бы себя несчастной всякий раз, когда тебя вызывали бы на пожар. Я знаю это. Так было всякий раз, когда Грег уходил работать под прикрытием. Я и его делала несчастным, но тебе я такого не желаю.

Чед нагнулся к ней и приподнял ее подбородок, чтобы Ли смотрела ему прямо в глаза.

— Я не говорю, что ты не станешь волноваться. Но ты не похожа на Шерон. Ли, она была словно бабочка — кокетливая, своенравная, нервная, легко возбудимая. Шерон боялась собственной тени. Мне кажется, что я и женился на ней только для того, чтобы защитить ее. Она пробуждала это желание в каждом, особенно в своих родителях. Я всегда чувствовал себя виноватым, когда мы с ней встречались еще до свадьбы. Ее родители терпеть не могли, когда Шерон уходила из дома хотя бы на несколько часов. Они просто места себе не находили и ее дергали.

— По твоим словам получается, что атмосфера в доме была не слишком здоровая.

— Так оно и было, и мне следовало бы это заметить. Я скорее жалел ее, а не любил. Клянусь богом, Ли, это правда.

— Я верю тебе, Чед. Я знаю твое отношение к женщинам. Ты хочешь защитить их всех.

— Но к тебе я отношусь иначе. — Ли по выражению его лица поняла, что Чед говорит искренне. Его глаза не отрывались от ее губ, его руки сжимали ее талию. И никто бы не определил его состояние как проявление жалости. — Я хочу, чтобы у тебя и у Сары был дом. Я хочу дать вам в жизни определенность. Но я не настолько лишен эгоизма. Ты нужна мне, Ли. Мне необходим партнер. Именно так! Я хочу разделить с тобой мою жизнь. Разговоры, проблемы, веселье, отдых, секс. Все. Мне не нужна фарфоровая кукла, к которой боишься лишний раз прикоснуться. Мне нужна женщина. Ты.

Он рассматривал голубые жилки на ее запястье. Когда Чед поднял голову, то с удивлением увидел, что по щекам Ли катятся слезы.

— Ли, что случилось?

— Разве ты не видишь, Чед? Ты приписываешь мне те качества, которыми не обладала Шерон. Но их нет и у меня. Я не хочу обмануть твоих ожиданий.

— Это неправда! Не смей наговаривать на себя!

— Ты считаешь меня храброй. Грег рассказал бы тебе, как обстоят дела на самом деле. Я доводила его до безумия моими жалобами, причитаниями и слезами каждый раз, когда он уходил на задание. Я была несчастна сама и создавала ад для него. Я не хочу, чтобы ты прошел через все это. Но и для себя я больше не хочу такой жизни, не говоря уже о Саре.

— Но у нас так не будет, Ли. Я же видел, как ты справилась с самой непростой из всех ситуаций, которые только выпадают на долю женщины. Ты проявила такое мужество. Господи! Родить ребенка посреди дороги, без обезболивания, в грязи, и рядом не оказалось никого, кроме постороннего мужчины. Я знаю, ты опасалась, что я могу причинить вред тебе или ребенку. Но ты все равно улыбалась и так вежливо и любезно разговаривала со мной.

— Разве у меня был выбор? — усмехнулась Ли.

— Определенно был, — серьезно ответил Чед. — Шерон тоже могла не глотать горстями снотворное, а стойко пережить то, что со мной случилось. Но она была нетерпелива и слепа в своем страхе и предпочла умереть. Я не сужу ее, я по-прежнему ее жалею...

Ли вдруг почувствовала, как выстроенная ею оборона рушится под напором его доводов. Самоубийство Шерон должно было причинить Чеду большую боль, особенно если он хотел защитить свою жену от превратностей судьбы. Ли почувствовала сострадание и нежность к нему, увидев его искаженное болью лицо. И она поняла — она не может вот так взять и оборвать сейчас отношения с Чедом, просто перестать с ним встречаться. Ли помнила о риске, помнила о том, как будет болеть у нее сердце, когда Чед снова отправится сражаться с огнем, но этот кошмар сейчас казался таким далеким. Она будет думать об этом тогда, когда это случится, но не сейчас.

Ли коснулась его волос.

— Чед, я сожалею о том, что случилось с Шерон. Мне тоже больно, больно за тебя.

— Спасибо, Ли. Я знаю, что должен был рассказать тебе обо всем раньше, но я не мог так рисковать. Я боялся потерять тебя. — Он смиренно положил голову ей на колени. — Ли, ты нужна мне. Не отвергай меня. Пожалуйста. — Он потерся носом о ее бедро.

И эта простая ласка зажгла огонь внутри Ли. Она плавилась, словно масло под лучами солнца.

— Чед, мы не так давно знакомы. Мы можем пересчитать по пальцам одной руки все наши встречи.

— Я сразу понял, как отношусь к тебе, как только оставил тебя в больнице. Я хотел еще тогда, чтобы вы с Сарой стали частью моей жизни.

— Тогда почему же ты не остался? Или не пришел нас навестить?

— Я понимал, что момент для этого совершенно неподходящий. Я полагал, что ты все еще тоскуешь о Греге. Ведь прошло так мало времени с того дня, как его убили. Ты потеряла дорогого человека — его мать, только что родила его ребенка, и девочка стала последним звеном, связывающим тебя с мужем. Я бы чувствовал себя как незваный гость. Я должен был дать тебе время оправиться после всех тех моральных и физических страданий, что тебе пришлось пережить. А потом началось такое... Казалось, все нефтяные скважины в мире словно сошли с ума и принялись гореть. Я мотался по всему свету. И потом, я думал, что тебе не захочется меня видеть. Ведь обстоятельства, которые нас свели, не назовешь обычными. Тебе могло быть неприятно даже вспоминать обо мне. Очень часто бывает так, что, когда трагедия или почти трагедия сближает людей, им бывает трудно взглянуть друг другу в глаза при обычных обстоятельствах.

Ли запустила пальцы в густые длинные волосы Чеда, прижимая его голову к себе.

— Мне, наверное, следовало бы испытывать чувство неловкости, но я ничуть не была смущена. Ты так... сочувственно отнесся ко мне и сделал все, в чем я в тот момент нуждалась. — Ли помолчала, а потом все-таки призналась: — В ту ночь в больнице, когда ты ушел, я плакала...

Чед поднял голову, всматриваясь в ее сине-серые глаза. Он поднялся с колен, сел на диван и привлек Ли к себе. Он нежно поглаживал волнистые каштановые волосы, густой пеленой скрывавшие ее лицо.

— Я оставался в больнице, пока не приехали твои родители. Я не мог уехать и оставить тебя совсем одну, когда за тобой некому присмотреть. Я собрался было представиться твоим родителям, но я так выглядел, что побоялся их напугать. Мне пришло в голову, что они придут в ужас, когда увидят, кто помог их внучке появиться на свет.

Ли рассмеялась и провела пальцем по его губам.

— Вероятно, это было самым мудрым решением в твоей жизни.

— Почему?

— Потому что ты правильно представил реакцию моих родителей. Они не такие ласковые и добрые, не такие терпимые и сговорчивые, как твои.

Пальцы Чеда пробежали по пуговицам блузки.

— А что ты подумала обо мне в тот день?

— Я была очень напугана. Но страх сразу прошел, как только ты снял свои черные очки, — честно призналась Ли.

— Мои глаза очень чувствительны к солнцу, поэтому я ношу солнечные очки круглый год.

— И потом, ты все время называл меня «мэм». Это никак не вязалось с твоей кошмарной внешностью.

— Моя мать гордилась бы собой. Значит, ее суровые уроки хороших манер не прошли даром, — улыбнулся Чед. — Я не подвел ее.

— И несмотря на то что ты был невероятно грязным, я заметила, насколько ты красив, особенно с этой банданой.

Он рассмеялся.

— Я повязал ее не ради красоты. Я сделал это намеренно, чтобы пот не капал на тебя и на ребенка. Я чертовски боялся повредить хоть чем-нибудь вам обеим.

— Ты был куда обходительнее любой сестры или врача, — восхищенно прошептала Ли.

Чед снова притянул ее к себе и нежно поцеловал. Он целовал ее снова и снова, чуть касаясь губами губ. Но настал момент, когда он не смог больше оторваться от нее. Его язык скользнул внутрь ее рта, и страсть, сдерживаемая все это время, вырвалась наружу.

Крепко прижимая к себе Ли, Чед перекатился к самому краю дивана, оставляя ей место у подушек. Его колено протиснулось между ее ног. Он положил ее руки себе на плечи, чтобы ему удобнее было ласкать ее грудь сквозь тонкий шелк блузки.

Они целовались с таким пылом, что им пришлось оторваться друг от друга — им не хватало воздуха, их сердца отчаянно бились. Чед покрывал быстрыми короткими поцелуями щеки Ли, ее шею, грудь, пока его пальцы торопливо снимали с нее блузку и лифчик.

Зарывшись лицом в ложбинку между грудями, он еле слышно спросил:

— Ты хочешь меня, Ли?

Она кивнула, наслаждаясь его лаской:

— Да, Чед, да.

Он встал с узкого дивана и подхватил Ли на руки.

— Тогда я буду любить тебя, — прошептал он. Его губы шевелились у ее уха, щекоча и возбуждая ее.

Ли вдруг застыдилась, уткнулась лицом в плечо Чеда и снова кивнула. Он понес ее по узкому коридорчику в спальню. Его колено глубоко вдавило матрас, когда, нагнувшись, он осторожно уложил свою драгоценную ношу поперек кровати.

Чед выпрямился, и Ли завороженно смотрела, как он срывает с себя одежду. Пуговицы с треском полетели в стороны — Чед не стал тратить время напрасно и аккуратно расстегивать их. Скинув рубашку, прыгая то на одной, то на другой ноге, он снял сапоги и носки. Джинсы оказались на полу раньше, чем Ли оказалась готова увидеть его только в узеньких синих трусах. У нее перехватило дыхание.

Маленькая лампа у ее кровати отбрасывала резкие тени. Тело Чеда блестело в ее неярком свете, великолепные мускулы перекатывались под кожей при каждом движении. Без рубашки его плечи казались шире, а грудь — массивнее. Узкие трусы почти не скрывали его наготы, и Ли на мгновение охватила паника.

Но его голос развеял последние страхи.

— Ли... — Чед произнес только ее имя, но его интонация сказала ей намного больше. Он поцеловал ее, и волна удовольствия прошла по всему телу Ли.

Его рука нашла ее грудь. Он ласково подхватил ее ладонью, большой палец ласкал сосок. Когда тот напрягся от желания, его губы сомкнулись вокруг этого розового бутона.

Пальцы Ли, то торопливые, то упоительно медлительные, перебирали волосы Чеда.

— О, Чед... — простонала она, переполнснная нсвдомыми ранее ощущениями.

— Я никогда не смогу пресытиться тобой, — прошептал он, поворачивая голову, чтобы приласкать и второй сосок. Его ладонь легла на живот Ли. Его пальцы легко справились с застежкой ее брюк. Чед сел и протянул руку, чтобы снять с Ли туфли.

Он вопросительно посмотрел на нее и, прочитав согласие в ее глазах, медленно стянул с нее брюки. Теперь на Ли не осталось ничего, кроме колготок и кружевных желтых трусиков.

— Знаешь, Чед, — она засмеялась. — Мне пришло в голову, что во всех фильмах у героинь всегда тонкий пояс и черные чулки. Боюсь, я тебя разочаровала.

— А разве я жалуюсь? — с негромким смешком ответил Чед, снимая с нее колготки. Он с наслаждением оглядел почти обнаженную женщину, потом вытянулся рядом с ней и крепко прижал ее к себе. — Я не видел никого — ни в кино, ни в жизни, — кто мог бы сравниться с тобой. У тебя очень красивое тело, Ли. Я и не думал, что женщина, которая совсем недавно родила, может обладать таким прекрасным телом.

Он жадно поцеловал ее, а потом снова заговорил, возвращаясь к прежней теме.

— У тебя удивительно упругая грудь. — Чтобы подтвердить эту мысль, он начал ласкать сосок, пока тот не затвердел, словно камешек. — И у тебя нет никаких растяжек на животе, — прошептал он, наклоняя голову и обхватывая губами возбужденный сосок. — Ты великолепна.

Его рука скользнула под желтые кружева. Негромкое мурлыканье вырвалось из горла Ли. Его возбужденный член упирался ей в бедро. Ли прильнула к Чеду.

— Я воздам тебе должное, — сказал Чед, снимая с Ли трусики. Он приподнялся над ней. Его поросшая волосами кожа дразнила и покалывала ее нежную кожу.

— Поцелуй меня, Ли.

Ему не потребовалось просить дважды. Их губы встретились. Пытаясь насладиться его вкусом, ее язык проник в его рот. Ее руки ласкали его спину. Она обхватила его за талию и пошевелилась призывно.

Он оторвался от ее губ и осыпал жадными, голодными поцелуями ее живот. Его рука ласкала ее ноги, поднимаясь все выше. На мгновение Ли сжала ноги, словно защищаясь, но очень быстро сдалась перед натиском его нежных пальцев.

— Я не хочу причинить тебе боли, — встревоженно сказал он. Но ему не стоило волноваться. Его пальцы уже знали, что она готова ответить на его любовь благодаря его поцелуям и ласкам. — Любимая, какая же ты сладкая. — Его дыхание влажным облаком касалось ее разгоряченной кожи. Он целовал ее пупок, бедра, маленькие колечки волос внизу живота.

— О, Чед, пожалуйста, — всхлипнула Ли. Ее пальцы скользнули внутрь его трусов. Она не могла поверить в собственную смелость, но Чед мгновенно освободился от них одним быстрым движением.

Обнимая его мускулистое тело, Ли притянула его к себе. И его член коснулся ее влажного лона.

Поцелуями она стерла тревогу с его лица. Их поцелуй становился все глубже, но Чед никак не решался войти в нее. Ли жаждала его и чуть надавила ему на спину. Его дыхание стало прерывистым.

— О господи, Ли, я больше не могу. Я не в силах больше сдерживаться, — и он вошел в нее.

Ей на мгновение стало больно, словно она во второй раз теряла девственность. Она вздрогнула при этой мысли. Это было началом для нее и Чеда. Она была новой женщиной для него. Ли негромко и облегченно вскрикнула.

Вздох Чеда эхом отозвался на ее вскрик.

— Ты такая упоительная... такая нежная... — еле слышно повторял он. Убежденный в том, что теперь она не разлетится на куски, как хрупкая фарфоровая статуэтка, Чед задвигался быстрее, увлекая Ли за собой в вечном ритме. Они вместе достигли высшей точки. И когда она достигла пика наслаждения, Чед прижал ее к себе и торопливо прошептал:

— Я люблю тебя, Ли, я люблю тебя, люблю тебя...

* * *

— Ли, я не причинил тебе боли?

— Нет-нет, — торопливо заверила она, крепче прижимаясь к нему.

— Хорошо. — У Чеда отлегло от сердца. Он поднял прядь ее волос и пропустил сквозь пальцы. — Шерон так же боялась секса, как и всего остального. Больше всего ее напугала наша свадебная ночь, когда я впервые разделся при ней. Тогда я почувствовал себя садистом, но и со временем лучше не стало. Она любила меня, но секс ее пугал и совершенно не привлекал.

Он перевернул Ли на спину, его пальцы ласкали ее грудь.

— А ты такая теплая, такая уютная. Я едва могу угнаться за тобой. — Ли шутливо шлепнула его по руке, но она понимала, что шуткой Чед пытается скрыть то, что волнует его. — И это заставляет меня думать о том... — Он откашлялся, попытался улыбнуться, потом улегся на спину. — Впрочем, неважно.

Ли догадалась о том, что ему так не терпится выяснить. Его мужское тщеславие позабавило ее, но она спрятала улыбку. Ли решила не искать окольных путей, а прямо спросила его:

— Скажи мне, Чед, ты думаешь обо мне и Греге?

— Это не мое дело.

— Теперь это твое дело, — просто ответила Ли.

— Я не хочу никаких сравнений.

— Я бы и не стала тебя ни с кем сравнивать. — Ли нагнулась к нему и нежно поцеловала. — Ты мне очень нравишься. С того первого поцелуя в больнице я знала, что мое удовольствие значит для тебя столько же, сколько и собственное удовлетворение. Это очень важно для меня, как и для любой женщины. Грег никогда не давал мне возможности почувствовать себя любимой. А ты это можешь.

Она могла бы сказать ему больше. Она могла бы рассказать, что с Грегом ей никогда не удавалось достичь такой степени возбуждения. Он был умелым любовником, но она никогда не чувствовала себя так, что для него, кроме нее, ничего больше на свете не существует. Даже когда она лежала в его объятиях, их тела сплетались, Ли часто инстинктивно догадывалась, что думает Грег о чем-то другом и что любит он ее по привычке, а не повинуясь порыву страсти. И потом, Грег всегда так спешил... Но обсуждать это с Чедом было бы нечестным по отношению к памяти покойного мужа.

— Я хочу, чтобы ты знал — после Грега у меня никого не было. И... никого не было до него. До сегодняшней ночи я спала только с моим мужем.

Чед мог и не поверить такому старомодному признанию.

Он повернулся к ней. Теперь они смотрели друг на друга, глаза в глаза.

— Ли, ты замечательная, ты редкая женщина, — ласково прошептал он, поглаживая ее щеку.

— А ты совершенно особенный мужчина.

— Я люблю тебя, Ли. Я не хотел говорить этого раньше, потому что ты могла воспринять это как попытку надавить на тебя и побыстрее уложить в постель. Я был просто счастлив, когда ты сказала, что хочешь меня. И пусть ты тогда добавила, что еще не готова к таким отношениям, мое сердце все равно успокоилось, потому что я знал об этом. Разумеется, некоторые несознательные части моего тела покоя нс знали... — Они оба негромко засмеялись. — Я люблю тебя, но если ты сейчас попросишь меня уйти, я уйду.

— Нет, оставайся, — без колебаний ответила она, уверенная сейчас только в одном — она хочет, чтобы Чед Диллон остался с ней. Ли склонилась над ним, прижимаясь к нему грудью. Рука Чеда легла ей на поясницу, притягивая ближе. Они поцеловались.

— У тебя невероятно внушительная грудная клетка, — шутливо восхитилась Ли, уткнувшись носом в мягкие волосы.

— С твоей грудью тоже все в порядке, — Чед засмеялся, а Ли игриво укусила его. Его руки рассказали ей, насколько он восхищен ее сложением.

Ее губы целовали его грудь, потом спустились к соску, такому твердому и плоскому. Она лизнула его. Чед напрягся в ожидании, а ее пальцы пустились путешествовать дальше. Ее рот терзал его неторопливыми поцелуями, ее рука нашла его член, прижавшийся к ее бедру.

— О господи, — выдохнул Чед сквозь стиснутые зубы. — Ли, ты понимаешь, что ты со мной делаешь?

— Я люблю тебя. — Она не останавливалась, пока его дыхание не стало прерывистым и шумным.

— Дорогая... если ты... не прекратишь... Ли, я больше не могу сдерживаться.

— А я этого и не хочу. — Она уселась на него верхом, прилаживая свое тело к его.

Чед глубоко вздохнул и задрожал, когда его член оказался в ее тесной ловушке.

— Ты взяла меня целиком, так крепко. Ты мое продолжение.

Он был прав. Это было великолепно.

* * *

— Ни одна кухня не может существовать без этого, — сказал Чед на ухо Ли, носом отводя в сторону непослушную кудрявую прядь. Он обнял ее и прижал к столу.

— Без чего? — рассмеялась Ли, поворачиваясь к нему. В руке у нее была губка, которой она мыла посуду после завтрака.

— Без сексапильной хозяйки. — Его губы щекотали кожу у нее на шее.

— От тебя так хорошо пахнет. — Ли прислонилась головой к его плечу.

— Я воспользовался твоим душем и бритвой, перед тем как разбудить Сару. — Его язык настойчиво исследовал ее ухо. — К счастью, у меня оказалась смена белья в машине. — На Чеде были джинсы и клетчатая ковбойская рубашка. Он надел и свои ковбойские сапоги — в них он всегда становился на дюйм выше.

— Спасибо, что дал мне возможность поспать подольше.

— Я решил, что именно так поступают настоящие джентльмены. Я полночи не давал тебе уснуть.

— Ты и сам полночи не спал, — со смехом напомнила она, потершись о его бедра.

Чед шутя шлепнул ее.

— От твоего рта невозможно оторваться. — Его рука не собиралась расставаться с тем, что показалось ей интересным. Его пальцы гладили упругие полукружья ее ягодиц. — Но мне нравится твое чувство юмора. Честно говоря, — его голос звучал еле слышно, — мне нравится в тебе абсолютно все. В частности, вот это, — он чуть ущипнул ее. — И то, как ты прижимаешься ко мне. Чувствуешь, насколько мы подходим друг другу? — заговорщическим шепотом спросил он. Ли вздохнула, опустив голову ему на грудь. — А мы еще не добрались до самых важных частей тела. — Его руки ласкали ее. Только тонкая майка прикрывала грудь Ли. — Скажи мне, когда мне нужно будет остановиться, — попросил он.

— Никогда.

— Никогда? Гм... Это значит, что ты все-таки решила оставить меня при себе?

7

и сразу же выпрямилась и повернулась к нему лицом.

— Я совсем не это имела в виду, Чед.

Он взял ее лицо в ладони, вгляделся в потемневшие глаза.

— А что же ты хотела этим сказать?

Усилием воли Ли заставила себя отвести взгляд.

— Не знаю, — вздохнула она. — Я понимаю, что нас тянет друг к другу, Чед. Мы пережили вместе замечательные минуты, когда родилась Сара. Но этого недостаточно.

Чед сжал губы.

— Я уже объяснял тебе, Ли, почему сразу не рассказал тебе о своей работе.

— Я все понимаю, Чед, — она уткнулась лицом ему в грудь и обняла. — Дай мне время. Прошу тебя. Я все еще никак не могу мысленно соединить твою карьеру и мою жизнь. Когда погиб Грег, я поклялась самой себе, что никогда не свяжу свою жизнь с человеком, чья работа опаснее работы воспитателя в детском саду. Как ты не понимаешь? Я не могу рисковать и не хочу второй раз терять мужчину, которого люблю. Я этого не вынесу.

Он крепко взял ее за плечи.

— Ты ничем не рискуешь. Клянусь тебе. Просто смешно цепляться за решение, которое ты приняла задолго до нашей встречи. Мы должны быть вместе, Ли. Я сделаю все, что в моих силах, чтобы убедить тебя выйти за меня замуж. А именно этого я и хочу. Я не буду давить на тебя, но рано или поздно ты все равно скажешь «да». Я не сдамся, пока ты не согласишься.

И он начал убеждать ее таким страстным поцелуем, что Ли была готова сдаться немедленно. Но она оттолкнула его, пока еще могла сопротивляться.

Ли отвернулась и оперлась руками о стол. На нее вдруг накатила слабость, ей так хотелось ответить на его страсть.

— Разве тебе сегодня не нужно идти на работу? — самым обыденным голосом задала она вопрос, надеясь отвлечь Чеда.

— Я звонил на фирму утром. Они теперь знают... — Заметив, что Ли поморщилась, он замолчал, потом продолжил: — Они знают, где меня найти, так что у меня есть несколько свободных дней. А тебя сегодня ждут в торговом комплексе?

— Я собиралась зайти туда, обойти залы и проверить, поливали ли цветы в вазонах у фонтана, посмотреть, в порядке ли украшения.

— Не упал ли какой-нибудь из оленей, — поддразнил ее Чед. Ли засмеялась. — Ладно. Ты заканчивай здесь, а я искупаю и одену Сару.

— Но, Чед...

Он прервал ее возражения поцелуем.

— Я никогда еще не общался с ребенком в возрасте Сары. Мне надо многому учиться.

И он на удивление хорошо справился. Ли на всякий случай осторожно заглянула в ванную комнату. Чед налил воды в ванночку, проверил ее температуру, бросил игрушки, которые стояли рядом, а потом отправился за Сарой. Очень осторожно он опустил девочку в воду, стараясь не испугать ее. Ли усмехнулась. Напрасная предосторожность! Сара так любила эти утренние купания! И Чед вскоре успокоился, услышав веселый смех малышки. Она плескалась и брызгалась, пыталась ухватить Чеда то за руку, то за нос. В общем, оба получали огромное удовольствие от общения друг с другом.

Ли переоделась, надела юбку и блузку, сделала макияж, заколола волосы. К тому времени, как она была готова, Чед уже одел малышку. Она зашла в комнату Сары, чтобы взять сумку, куда она собиралась положить приготовленные заранее бутылочки и баночки с детским питанием, специальную тарелку, чтобы это подогреть, и Сарину ложку.

— Как дела? — поинтересовалась Ли.

— Мы почти готовы, встретимся в гостиной. — Чед обратился к ней за помощью только в тот момент, когда нужно было выбрать одежду для девочки.

В глазах окружающих они выглядели дружной семьей, отправившейся за покупками. И Чед не предпринимал ничего, чтобы разрушить это впечатление. Он настоял на том, чтобы самому нести Сару, пока они обходили торговый комплекс. При этом он обнимал Ли за талию, отпуская руку только тогда, когда она проверяла оформление. Как уже заметила Ли, Чеда многие в городе знали и приветливо заговаривали с ним. Его общительность и обаяние были неисчерпаемы. Чед с гордостью представлял всем Ли и Сару.

Молодая женщина закончила свои дела, и они отправились в закусочную, где заказали на вынос жареных цыплят. Потом Чед направил свой «Феррари» в «Сэддл Клаб Эстейт».

— Я хочу, чтобы ты увидела мой дом, — объяснил он Ли. — Мы можем съесть ленч и там.

Ли давно уже отметила особняк Чеда, когда еще не знала, что дом принадлежит ему. Выстроенный из грубого камня и кедра, он ей понравился с первого взгляда. В его архитектуре сочетались традиционные и современные элементы. В саду явно поработал дизайнер, а молодые пекановые деревья обещали в будущем густую тень.

Чед нажал на кнопку дистанционного управления, лежавшего у ветрового стекла, и ворота, ведущие к дому, открылись. Чед оставил машину возле гаража.

— Вот мы и дома, — жизнерадостно объявил он, держа одной рукой пакет с цыплятами, а другой придерживая дверцу для Ли и Сары.

Они прошли через вымощенный камнем внутренний дворик, и Чед открыл заднюю дверь. Пропустив вперед Ли, он быстро набрал цифровой код на панели, отключая систему сигнализации, которая начала тревожно пищать, как только они переступили через порог.

— Напомни мне, чтобы я дал тебе ключ и записал код. Тогда ты сможешь приходить сюда в любое время без проблем.

Ли зачарованно кивнула. Она чувствовала себя как деревенская девчонка, впервые оказавшаяся в городе. Дом выглядел так, словно сошел с обложки журнала «Архитектура и дизайн». Безупречный вкус профессионального дизайнера чувствовался во всем, хотя оформление не было холодным, как это часто бывает, когда с домом работает профессионал. Отполированные до блеска каменные полы покрывали старинные восточные ковры. Их возраст и изрядная потертость только добавляли им ценности. Оригинальные произведения искусства были подобраны со вкусом и, как ни странно, сочетались с фотографиями и постерами на стенах. То, что Чед привозил из своих экспедиций, стояло на столах и этажерках. Его личность чувствовалась в каждой мелочи.

— Чед, — восторженно выдохнула Ли, словно она была в музее. — Это прекрасно.

— А тебе-то нравится?

Она обернулась и увидела, что хозяин дома смотрит на нее с тревогой, явно боясь, что его гостья не одобрит обстановку и сам дом.

— Да, Чед, — с легким смешком ответила Ли. — Я просто никак не могу прийти в себя.

— Пойдем, посмотришь остальное.

В доме оказалось четыре спальни, четыре ванных комнаты, не считая хозяйской, парадная столовая, комната для завтрака, игровая комната с баром, огромная гостиная, кабинет, помещение для стирки и кухня, выдержанная в деревенском стиле. К хозяйской спальне прилегала еще одна гостиная, поменьше. В главной спальне, в гостиной и в маленькой столовой рядом с кухней были камины.

Во дворе располагался прекрасный бассейн. Рядом с ним были предусмотрены горячий душ, кабинки для переодевания и еще один бар. Все это было как следует укрыто от непогоды.

— И все это для одного человека? — растерянно спросила Ли, стоя в гостиной с высоким, украшенным балками потолком.

— Забавно, правда? — торопливо согласился Чед. — Я купил дом пару лет назад у приятеля моего отца, нефтяного магната. Он в то время строил себе другой, больше и лучше.

— Больше и лучше этого? — недоверчиво переспросила Ли.

Чед рассмеялся.

— Этот дом я купил главным образом потому, что хотел с умом вложить деньги. Владелец не собирался зарабатывать на продаже, ему не терпелось избавиться от дома. С тех пор как в Мидлэнде начался настоящий бум, дом значительно вырос в цене. Но в нем так чертовски одиноко, Ли. Здесь, кроме меня, больше никто не живет. Я купил его уже после смерти Шерон.

Чед обнял Ли.

— Кто знает, — прошептал он у самых ее губ, — может быть, мы могли бы заполнить остальные спальни маленькими Диллонами. — Его рука опять ласкала ее грудь уже привычным жестом, но возбуждение всякий раз казалось Ли новым.

— И я полагаю, что, раз у тебя уже был опыт, ты будешь принимать их всех, — пошутила Ли.

— Я бы лучше делал их.

Ли вдруг резко оттолкнула его и прикрыла рот рукой.

— Чед, я только что вспомнила... Прошлой ночью... Ни ты, ни я, мы не предохранялись.

Он рассмеялся.

— Ничто так не сыграло бы мне на руку, как твоя беременность. Тебе в таком случае просто пришлось бы выйти за меня замуж.

— Чед! Я не давала согласия выйти за тебя замуж, не говоря уж...

— Не кипятись. Я просто пошутил.

Сару утомили разговоры взрослых. Ее пухлые кулачки забарабанили по материнской груди, давая понять, что ее терпение на исходе.

— Я думаю, пока что нам следует покормить того ребенка, который у нас уже есть, — сказал Чед. — Я тоже проголодался, Сара. Пойдем со мной.

Он взял малышку у Ли и отправился с девочкой на кухню. Но вскоре ему пришлось вернуть девочку матери. У Ли лучше получалось одной рукой держать ребенка, а другой готовить ему еду. Сказывалась практика. Чед накрыл на стол, выложил купленных по дороге жареных цыплят и не забыл про бумажные салфетки.

— Кто убирает дом? — поинтересовалась Ли.

— Я нанял женщину, которая приходит раз в неделю. Она убирает и стирает.

Ли подозрительно покосилась на него:

— Что еще за женщина?

— Уже ревнуешь?

— Что за женщина, я спрашиваю?

— Лет двадцати двух, великолепные черные волосы до пояса, длинные красивые ноги, потрясающая фигура, но у нее чуть-чуть выдаются вперед зубы. Немножко похожа на кролика, но все равно настоящая красотка. — Чед выразительно подмигнул.

— Я надеюсь, что ты меня просто дразнишь.

— Если она тебя так беспокоит, я немедленно уволю бедняжку. — Он вздохнул с явным сожалением.

— Чед Диллон...

Он привлек Ли к себе и звучно поцеловал.

— Сядь и успокойся, женщина. У миссис Де Леон шестеро взрослых детей и несметное количество внуков. Я знаю об этом потому, что всякий раз, когда она делает уборку в моем присутствии, мне приходится выслушивать детальный рассказ обо всех ее чадах и домочадцах. Ей около шестидесяти, ростом она меньше пяти футов, и эта женщина явно не отказывала себе в еде всю свою жизнь. Теперь наконец я могу съесть свой ленч?

Ли дала Саре ложку протертого мясного пюре. Девочка уже с готовностью открыла рот. Молодая женщина кусала губы, пытаясь скрыть улыбку, но уголки губ предательски поползли вверх.

— Мне нравится целовать твои коленки, — вдруг объявил Чед, с наслаждением вгрызаясь в сочного цыпленка.

И это доконало Ли. Она расхохоталась от души.

— Ты просто ужасен! Сначала заставляешь меня ревновать к твоей экономке, а затем говоришь такое, что ни один приличный мужчина не посмеет сказать вслух женщине.

— Что я могу поделать, если у тебя такая восхитительная кожа? Везде.

Вспомнив о его ласках, Ли почувствовала, как ее тело становится горячим от желания, но она была исполнена решимости съесть своего цыпленка.

— Ты взял соус к картофельному пюре? — как можно небрежнее спросила она.

Чед фыркнул:

— Меняешь тему, трусишка? Можешь, конечно, попробовать, но предупреждаю, что все эти дни я думаю только об одном! — Ли хватило одного взгляда в ясные синие глаза Чеда, чтобы понять, о чем именно он думает. Она только надеялась, что он не догадывается, что ее собственные мысли тоже все время возвращаются к прошлой ночи.

Когда Сара съела положенную порцию и допила все из своей бутылочки, Чед предложил уложить ее на кушетке в главной спальне, чтобы девочка немного поспала.

— Мы можем повернуть кушетку к стене, и получится совсем как детская кроватка.

По настоянию Ли они обернули пухлые подушки полиэтиленовыми мешками и только потом постелили простыню.

— Я не переживу, если она испачкает эту кушетку, — призналась Ли.

— Она никогда не позволит себе такого поступка, неподобающего леди, — попытался Чед вступиться за Сару. И получил в награду выразительный взгляд ее матери. — Давай мы тоже приляжем, — прошептал Чед, когда Сара уснула. Не дожидаясь согласия или возражений Ли, он взял ее за руку и подвел к гигантской кровати.

Вся спальня была оформлена в бежевых, темно-зеленых и рыжеватых тонах. Она выглядела очень по-мужски, но это было стильно и красиво. Чед подошел к стенному шкафу и достал два пледа с верхней полки.

— Моя бабушка с материнской стороны сделала их, — сказал он, накидывая один из них на замшевое покрывало на кровати. Снова вернувшись к шкафу, он вынул две подушки в свежайших наволочках с вышитыми инициалами. Чед бросил их на кровать, сел на край и принялся стаскивать сапоги. Затем последовал широкий кожаный пояс с массивной пряжкой. Он улегся на кровать и потянул к себе Ли. Она почувствовала легкое разочарование оттого, что Чед и в самом деле собирался лишь вздремнуть.

Она сбросила туфли и легла рядом с ним. Чед накрыл их обоих вторым пледом.

— Тебе удобно? — поинтересовался он, прижимаясь к ней и утыкаясь носом в шею.

— Гм-мм, — вздохнула в ответ Ли, только теперь осознавшая, насколько ей самой хочется спать.

— Девочка милая, крепко усни, пусть тебе снятся хорошие сны. — Чед заботливо погладил Ли по голове.

Ли улыбнулась и провалилась в крепкий сон без сновидений.

Молодая женщина осторожно сняла с себя тяжелую руку Чеда и медленно начала выбираться из постели, стараясь его не разбудить. Он спал совершенно бесшумно. Она села на краю постели, сладко зевнула, потянулась и встала. Обернувшись через плечо, Ли увидела, что не потревожила Чеда. Бронзовые часы на каминной полке показывали, что она проспала почти час.

Пушистый ковер делал ее шаги неслышными. Ли подошла к кушетке и перегнулась через спинку, чтобы взглянуть, не проснулась ли Сара. Девочка крепко спала, уткнувшись в подушку. Длинные черные ресницы были неподвижны, пухлые щечки порозовели, Сара улыбалась во сне, чуть приоткрыв крохотный ротик. Тоненькая струйка слюны текла у нее изо рта. Ли нежно улыбнулась, у нее защемило сердце от любви к малышке.

Она вернулась к кровати. Ровное, медленное дыхание Чеда подсказало ей, что он еще крепко спит. Его лицо расслабилось, морщины у глаз стали не такими заметными. Длинные волосы были по-мальчишески всклокочены. Он казался Ли идеалом мужской красоты.

Ли почувствовала, как ее просто подзуживает невидимый демон. Лицо спящего выглядело таким спокойным. Она посмотрела на свою подушку. Соблазн был слишком велик, чтобы она могла ему противостоять. Подхватив подушку, она высоко занесла ее и быстро опустила, но крепкая рука Чеда перехватила ее на полдороге.

Ли удивленно вскрикнула и сорвалась с постели. Одним прыжком Чед оказался на полу и погнался за ней. Он перехватил ее на середине комнаты, и они оба упали на ковер.

— Хотела застать меня врасплох, так? — прошипел Чед, переворачивая ее на спину.

— Прости меня, Чед, прости, пожалуйста. Ой, нет, не надо, — взмолилась Ли, когда он принялся ее щекотать. — Чед, перестань.

— Извинения тебе не помогут! — Его руки были повсюду.

Ли хихикала, извивалась, отбивалась, пока он не пригвоздил ее запястья к полу у нее над головой. Они оба смеялись и тяжело дышали. Ее грудь тяжело вздымалась при каждом вздохе. Их смех постепенно смолк, она почувствовали жар, исходящий от их тел, чувственность, переполнявшую их обоих, вспыхнувшее пламя желания.

Они лежали совершенно неподвижно, только их тяжелое дыхание нарушало тишину комнаты. Их взгляды встретились. Чед облизал губы, Ли ждала, замерев в его руках. Чед отпустил ее руки, его пальцы проворно пробежали по каштановым вьющимся прядям, отливающим золотом, разметавшимся по темному ковру. Ли подняла руки и принялась шевелить волосы у него на затылке. Чед вздрогнул, словно тем самым хотел сказать ей о своем желании. Его послание было принято, и ответное движение Ли было не менее страстным.

Не говоря ни слова, он приник к ее губам. Ее руки взлетели ему на плечи. Их ноги переплелись. Чед перевернулся, и Ли оказалась сверху. Он яростно принялся расстегивать пуговицы на ее блузке. Они послушно сдавались одна за одной, хотя пальцы плохо слушались Чеда.

Сорвав с Ли блузку, Чед принялся ласкать ее грудь над кружевом лифчика. Его язык наслаждался сливочной кожей, останавливаясь только затем, чтобы обжечь ее страстными поцелуями. Пальцы Ли запутались в его волосах, она прижимала к себе голову Чеда все крепче и крепче.

Наконец Чед расстегнул переднюю застежку ее лифчика и отвел кружево в сторону. Он смотрел на ее лицо, пока его руки ласкали ее грудь. Его пальцы прикасались к ее соскам, пока они не набухли и не затвердели от желания.

— Тебе так же хорошо, как и мне? — глухо спросил Чед.

Горловой звук превратился в стон, сорвавшийся с ее губ. Чед опустил голову, и его рот вобрал в себя нежную плоть.

Ли словно потеряла рассудок. Ее закружил водоворот чувственности. Ласки Чеда проделывали нечто удивительное не только с ее телом, но и с ее душой. Душа раскрылась навстречу ему, и Ли затопила такая любовь к этому человеку, на которую она не считала себя способной и которой не знала никогда.

Его руки скользнули к ней под юбку, лаская бедра, пробираясь все выше. Его ловкие пальцы раздели ее, нижнее белье полетело прочь.

Теперь Ли превратилась в агрессора. Она сорвала с Чеда рубашку, неловкими от страсти пальцами расстегнула его джинсы. Ее пальцы опустились на его бедро. Они жадно познавали друг друга.

— Я так хочу тебя, Ли, — простонал Чед.

— Да, Чед. Возьми меня.

Он опустился на нее, и они оба удовлетворенно вздохнули, когда их тела слились.

Потом они лежали рядом на ковре, утомленные, насытившиеся.

— Ты выглядишь такой растерзанной, — хмыкнул Чед.

— А тебе это не нравится?

— Мне нравится в тебе абсолютно все, — серьезно ответил Чед. — Как ты думаешь, как долго Сара будет терпеть нашу распущенность?

— Мы и так не уложились в отведенное время. Ей давно уже пора ужинать.

— А сполоснуться мы не успеем?

Ли повернула голову и взглянула на Чеда.

— Ты собираешься принять ванну?

— Мы вместе примем ванну, — воодушевился вдруг Чед. — У меня стоит произведение искусства семи футов в длину и четырех футов в глубину, а за два года я ни разу этой ванной не пользовался.

Ли поддалась на уговоры только после того, как убедилась, что Сара все еще спит. Ванная комната и в самом деле оказалась верхом роскоши. Ванна стояла у большого окна, выходившего в маленький огороженный сад, где, к сожалению, ничего не росло.

— Чед, почему ты ничего там не посадил?

— Потому что я никогда не собирался развлекать дам в этой ванной. Но обещаю — если ты искупаешься со мной, то завтра в это же время здесь будет расти тропический лес. — Чед говорил, положив руку на сердце, и так искренне, что Ли рассмеялась:

— В любом случае давай опробуем ванну.

Пока гигантская ванна наполнялась, они освободились от измятой одежды. Этот процесс занял необычно много времени. Они помогали друг другу, не переставая целоваться и ласкать друг друга. Когда они оба разделись и собирались опуститься в ванну, Ли воскликнула:

— Какой позор! У тебя даже нет пены для ванн!

Чед на мгновение задумался, потом сказал:

— Подожди минутку. — Не обращая внимания на свою наготу и мокрые ноги, он вышел из ванной комнаты.

Ли опустилась в ванну, только до половины наполненную теплой водой. Чед вернулся, неся бутылочку жидкого мыла.

— Да ты шутишь, что ли? — воскликнула Ли, глядя, как Чед выливает содержимое флакона под струю воды.

— Когда требуется, импровизируй, — парировал он.

От жидкого мыла на поверхности воды образовались густые облака пены. Они уселись лицом друг к другу, ноги Ли лежали на бедрах Чеда. Они наслаждались водой, пеной, друг другом. Мыло легко выскальзывало у них из рук и охотно терялось, чтобы обнаружиться потом в самых неожиданных местах. Они обменивались поцелуями по любому подходящему поводу.

Один поцелуй длился так долго, что Ли забыла обо всем на свете, унесенная ураганом чувств. Голод, который, казалось, они только что утолили, заявил о себе с новой силой. Ли почувствовала руки Чеда на своих бедрах. Он притягивал ее к себе поближе.

— Чед, — робко спросила она, отрываясь от его губ. — А этим... можно заниматься в воде... с жидким мылом?

Она только секунду любовалась его улыбкой, одновременно снисходительной, многообещающей и дерзкой.

Сара доказала, что она настоящее сокровище. Девочка не проснулась до тех пор, пока Ли и Чед не оделись, хотя их одежда оказалась в ужасном состоянии. К счастью, в этом малышка еще не разбиралась. Чед, присоединяясь к настойчивому плачу Сары, сетовал, что он тоже умирает от голода. Но сначала, тепло укутав Сару, он вынес ее на улицу, чтобы она вместе с матерью полюбовалась рождественским освещением, которое автоматически включалось с наступлением сумерек. Елка у его дома была украшена золотыми шарами, а на лужайке перед входом стояла фигурка девочки с собачкой. Ли с удивлением взглянула на Чеда:

— Почему ты выбрал именно ее? Это же не рождественское украшение! Твои соседи отдали предпочтение ангелам и Санта-Клаусам.

— Ты у меня вместо ангела, в Санта-Клауса я уже не верю, у оленей мне почему-то не нравятся рога, а эта симпатичная малышка... Не успеешь оглянуться, как Сара потребует у тебя щенка!

— Так ты думал о Саре?

— Да.

Ли благодарно улыбнулась Чеду. Сару накормили первой, а потом положили на коврик в кухне, чтобы она могла играть, пока Ли и Чед ели омлет.

— Придется мне купить манеж или что-то в этом роде, — говорил Чед за едой. — Не могу же я все время возить такие вещи туда-обратно в моем «Феррари».

— Ты всегда можешь воспользоваться своим пикапом, — с невинным видом подсказала Ли, захлопав длинными ресницами. — Правда, он всегда такой замызганный...

Чед метнул в нее убийственный взгляд, встал и налил себе еще чашку кофе.

— Ты никогда мне этого не простишь, верно? — Он вернулся к столу с дымящейся чашкой и поудобнее устроился на стуле. — В то время для тебя же было лучше считать меня механиком. Я не хотел возбуждать твои подозрения, появившись в первый раз перед твоим домом в «Феррари». И потом, — он лукаво подмигнул, — я был так занят, возбуждая совсем другое.

— Придерживайся, пожалуйста, темы разговора, — с деланой суровостью произнесла Ли. Она покачала головой и тронула вилкой остатки омлета на тарелке. — Ты ведь очень богат, правда?

— Я сделал несколько очень неплохих вложений.

— И тебе много платят за твою работу?

— Да.

— А как насчет самолетов?

— Мы с одним моим приятелем несколько лет назад занялись чартерными перевозками, имея всего два самолета. Теперь их у нас четыре. Это дело принесло неплохую прибыль.

— Да, я это заметила, — Ли огляделась по сторонам. — Ты, похоже, все время занят.

Чед протянул руку и дотронулся до ее пальцев.

— Мы все уладим, Ли. Ведь ты согласна со мной, что стоит хотя бы попробовать?

Ли не собиралась отвечать ему прямо сейчас и поэтому задала новый вопрос:

— Каким еще бизнесом ты занимаешься?

Она поняла, что Чеду совсем не хочется говорить о своих предприятиях, потому что тот отвел глаза.

— У меня еще есть участки земли. Мне не на что было особенно тратить деньги, поэтому я их вкладывал.

— Земля? Какого рода? Пастбища? Дома? Что именно?

Чед пожал плечами:

— И то и другое, всего понемножку.

— А как идут дела на ранчо твоего отца? Как его нефтяные вышки?

— Я его партнер.

Ли приложила палец к губам и тяжело вздохнула.

— Ли! — Чед с силой сжал ее руку. — Неужели тебя волнует мой счет в банке? Неужели тебе было бы приятнее, если бы я был простым механиком и ничего не имел бы за душой?

— Нет, Чед, дело не в этом... Просто меня немного пугает... твое богатство. У Грега была опасная работа, это правда, но он оставался всего лишь государственным служащим. Я просто не могу привыкнуть к мысли о таких деньгах.

— Тогда забудь об этом. Они не имеют никакого значения. Если бы я был простым механиком и едва сводил концы с концами, но у меня были бы вы с Сарой, я считал бы себя самым богатым человеком на свете. Но если бы у меня не было тебя, все это, — Чед обвел рукой комнату, — не стоило бы для меня и ломаного гроша. Сегодня впервые этот дом мне пригодился, и я решил, что не прогадал, покупая его.

Но это только потому, что я смог привезти сюда вас с Сарой.

Синие глаза, всегда горевшие страстью, теперь светились убеждением. Чед верил в то, что говорил, и Ли знала об этом. Слезы навернулись ей на глаза, она прижалась губами к его руке.

— О, Чед...

* * *

У входа в домик Ли Чед нежно поцеловал ее.

— Я не хочу уходить. Я хотел бы провести эту ночь с тобой, но я не хочу рисковать твоей репутацией. Мы и так уже дали пищу для разговоров. Ведь я ночевал у тебя вчера.

— Я готова рискнуть.

Чед покачал головой:

— А я нет. Только не с тобой. Мы не станем жить вместе, пока не поженимся. А ты обязательно станешь моей женой, Ли, не сомневайся. — Он поцеловал ее снова, развернулся на каблуках и пошел к машине.

8

На следующее утро, когда Ли одевала Сару после купания, позвонил Чед.

— Привет. Ты уже встала?

— Ты что-то поглупел, дружок. Ты же сам знаешь, что Сара — это просто живой будильник, а просыпается она очень рано.

Чед рассмеялся.

— Нас пригласили на вечеринку в конце недели. Если быть точным, в пятницу вечером. Ты пойдешь?

— И что за вечеринка?

— Ужин в честь трех моих друзей, которые, по счастливой случайности, родились в один день.

Ли тут же представила себе огромную гостиную, полную таких людей, как жена Буббы и ее подружки. Утонченные. Богатые. Ухоженные. А ей даже нечего надеть ради такого случая.

— Это будет своего рода пикник в доме. Все очень просто.

Значит, вместо золота и бриллиантов, они наденут серебро и бирюзу. Ли прожила всю свою жизнь не в деревне, да и ее мать, приверженная правилам хорошего тона, сумела дать ей достойное воспитание. Так что у Ли были отличные манеры, она великолепно танцевала, умела легко и непринужденно вести светскую беседу. Но в душе она оставалась дочерью военного и вдовой полицейского. Ли понимала, что среди владельцев ранчо и богатых нефтепромышленников она никогда не почувствует себя своей. Она вспомнила, как ужасно нервничала перед визитом к родителям Чеда. А как напугал ее дом и богатство самого Чеда!

— Я даже не знаю, Чед, — Ли пыталась срочно придумать благовидный предлог, чтобы отказаться. — Я не представляю, с кем оставить Сару. Она...

— Малышка может поехать с тобой. Это семейное торжество. Дети тоже приглашены. Там их будет целая орда, и Сара наверняка будет вести себя куда лучше многих. Я-то уж знаю этих детишек! Наша Сара просто ангел рядом с ними.

— Что ж...

— Все, конец дискуссиям. Я просто хотел сообщить тебе заранее, чтобы ты могла строить свои планы на неделю. Переходим к следующему вопросу. Где ты собиралась сегодня обедать?

В эту неделю они провели много времени вместе и почти не расставались. Каждый день Чед заходил за Ли и приглашал на ленч. Они либо шли в ближайший ресторан, либо просто ели сандвичи, сидя на бортике фонтана в самом центре торгового комплекса.

Чед настаивал на том, чтобы они ужинали в городе и брали с собой Сару. Он не хотел, чтобы Ли готовила каждый вечер. В первый раз, когда они взяли девочку с собой в ресторан, Ли ужасно нервничала. Но Сара удивила мать. Она отлично себя вела. Пока Ли и Чед ели мексиканские блюда, Сара наслаждалась детским праздничным набором, свешивавшимся с потолка.

— Я же говорил тебе, — сказал Чед, кивком указывая на довольную кроху.

— Она ведет себя хорошо только назло мне.

Чед рассмеялся и вопросительно поднял бровь.

— Вероятно, в этом заявлении есть какая-то логика, но я ее не улавливаю.

Ли засмеялась тоже.

— Тебе надо было бы быть матерью, чтобы понять. Не забудь напомнить мне, чтобы я поблагодарила Амелию за то, что она подсказала мне, как приучить Сару сидеть в высоком стуле.

Вечера они проводили тихо и уединенно, хотя Чед, как правило, рано уходил к себе. Расставание становилось для них мукой, и они отчаянно цеплялись друг за друга. Но Чед не позволял себе никаких вольностей, кроме поцелуев и крепких объятий. Создавалось впечатление, будто он хочет доказать Ли, что их сексуальная совместимость не единственная причина, по которой он хочет на ней жениться.

Они вместе смотрели телевизор, устроившись рядышком на диване, хотя если бы Ли спросили, какую передачу они смотрели, она вряд ли смогла бы ответить. Она помнила только то, как уютно ей было рядом с Чедом, какими надежными казались его объятия, какой защищенной она себя чувствовала. Его присутствие изменило всю жизнь Ли.

С одной стороны, ее радовала такая перемена. Ее жизнь стала легче и комфортнее. Но с другой стороны, у нее в душе возникало странное чувство раздражения.

Чед ходил с ней за продуктами. Он нес Сару, а Ли складывала покупки в тележку. Ей упорно не хотелось признавать, насколько легче жить вдвоем, чем одной. Чед вынимал тяжелые пакеты из багажника, относил их в дом и раскладывал все по ящикам и полкам, а Ли тем временем занималась закапризничавшей дочкой. Будь Ли одна, ей пришлось бы заняться чем-то одним. Правда, за месяцы своего одиночества она привыкла все делать одновременно.

Ли понимала, что начинает зависеть от Чеда, что скучает, когда его долго нет. Нежно, ласково, по-своему, Чед убеждал ее в том, что она должна отбросить прочь все сомнения и выйти за него замуж.

И все-таки Ли никак не хотела полностью подчиниться ему. Она помнила — один телефонный звонок, и Чед умчится прочь из ее жизни, и ей придется многие месяцы обходиться без него. Она не могла свыкнуться с мыслью о браке. Как только Ли станет его женой, она не сможет отпустить его сражаться с огнем. Чед все равно уедет, а она будет жить в постоянном страхе и ожидании, гадая, вернется ли ее муж живым. Чед поклялся ей, что такого не будет, что он всегда возвращается домой. Но Грег тоже так говорил. И Ли не знала, хватит ли у нее мужества вновь жить так, как она жила прежде.

И более того, Ли не знала, сумеет ли вписаться в круг друзей Чеда. Они определенно зададутся вопросом: почему Чед Диллон, самый завидный жених в округе, который мог бы выбрать любую женщину, предпочел вдову с ребенком? Она не принадлежала к сливкам общества. Ее отец был профессиональным военным. Как это воспримут его друзья? Все эти мысли крутились у нее в голове, когда Ли собиралась на вечеринку в пятницу, которой она так боялась.

Чед еще раз подтвердил, что все будет происходить просто, без всякой помпы, поэтому Ли выбрала джинсовую юбку с оборкой, коричневые кожаные сапожки и белую хлопковую блузку по моде начала века — присборенные рукава с высокими буфами и высокий ворот, украшенный кружевом. Сару она одела в джинсовый комбинезон, купленный к Рождеству перед поездкой к родителям Чеда.

— Вы обе потрясающе выглядите, — объявил Чед, когда Ли открыла ему дверь. — Но на тебе слишком много надето. — Ли удивленно посмотрела на него, но он не стал ничего объяснять. Сам Чед был в джинсах, трикотажной рубашке и замшевой куртке.

Вечеринка была в самом разгаре, когда Чед остановил машину около особняка, стоящего посреди огромного участка на окраине города. За домом изумленная Ли увидела амбар — свежевыкрашенный, современный и все-таки самый настоящий амбар.

Она недоверчиво взглянула на Чеда. Он улыбнулся.

— Идем.

Неся и ребенка, и сумку с вещами девочки, Чед проводил Ли в амбар, где несколько десятков людей отплясывали под музыку в стиле «кантри». Оркестр из трех музыкантов не жалел сил.

— Чед! — Женщине каким-то образом удалось перекричать музыку, смех и громкие разговоры.

У нее было открытое, приветливое лицо. Она пробралась к ним через толпу. Хотя на ее пальцах сверкали кольца с бриллиантами, одета женщина была в джинсы и майку. И джинсы на ней были обычные, как носят рабочие, а не творение какого-нибудь известного модельера.

— Ты всегда приводишь самых хорошеньких девушек, — заявила она, обнимая одновременно и Чеда, и Сару. — Привет, — обратилась она к Ли.

Чед познакомил Ли с хозяйкой дома Долли Перкинс и ее мужем Уайтом, который присоединился к ним, держа в огромной руке бутылку с пивом. Уайт так сдавил руку Ли в приветственном пожатии, что у той свело пальцы.

— Идемте, я познакомлю вас с остальными, — он взял Ли за руку. Она лишь беспомощно обернулась к Чеду, у которого хозяйка дома забирала Сару.

— Вы все идите, а я пока познакомлюсь с Сарой, — махнула рукой Долли.

Следующие полчаса Ли знакомилась с десятками людей, которые приветствовали ее с таким же энтузиазмом, что и первая пара. Молодая женщина время от времени оглядывалась, пытаясь найти взглядом Сару. Малышка либо переходила в другую пару дружеских рук, готовых ее потискать, либо ее разглядывали дети постарше. Но девочка безмятежно улыбалась и даже смеялась, и Ли поняла, что Сара вполне довольна своей жизнью и полностью завладела всеобщим вниманием.

Молодая женщина немного расслабилась. Эта толпа ничуть ее не пугала. Ей сказали, что здесь есть мужчины, которые работают вместе с Чедом и не раз выезжали с ним на пожары. Многие работали на нефтяных скважинах. Один оказался врачом, а другой — президентом банка. Но казалось, здесь нет никаких имущественных барьеров. Все собрались, чтобы весело провести время, и Ли очень скоро почувствовала себя своей.

— Веселишься? — услышала она голос Чеда. Он подошел к ней сзади, воспользовавшись паузой в разговоре между Ли и молодой женщиной, у которой были близнецы на несколько месяцев старше Сары. Чед обнял Ли и привлек к себе.

— Да, — она чуть повернула голову. — Мне правда весело, — она сама удивилась своим словам.

— Я рад, что хотя бы одному из нас весело, — прошептал он ей на ухо.

Ли развернулась к нему.

— А разве тебе здесь скучно?

— Смертельно. Я не целовал тебя весь вечер. — И прежде чем Ли успела увернуться, он закрыл ей рот поцелуем. Поцелуй был коротким, но она никак не могла отдышаться. Она даже покачнулась, когда Чед отпустил ее. Люди вокруг них улыбались, и Ли покраснела, услышав веселые шуточки. — Давай потанцуем, — предложил Чед и повел ее в центр импровизированной танцплощадки.

Сара сидела на коленях у пожилой дамы, вполне годящейся ей в бабушки, прислонившись к ее внушительной груди. Женщина хлопала по ладошке Сары в такт музыке.

Ли посмотрела на танцующих, выписывавших сложные круги, и замотала головой.

— Нет, Чед, я так не смогу. — Танец был сложным и очень энергичным.

— Что, «Одноглазый Джо» тебе не по зубам?

— Его не изучали в танцклассе, куда меня заставляла ходить мама.

— Уверяю тебя, все очень просто, — засмеялся Чед. — Сама увидишь. Просто держись за меня и во всем слушайся.

Через двадцать минут они переместились из центра зала в укромный уголок. Ли едва дышала, прижав руку к груди. Она прислонилась к стене.

— Больше не могу, — еле выдавила молодая женщина.

Чед промокнул лоб платком.

— Холодная выпивка и немного еды, и ты снова будешь как новенькая.

Ли с сомнением посмотрела на него.

— Я и не помню, когда так уставала...

Чед подошел к ней, обнял, и они вместе засмеялись. Аромат его туалетной воды кружил ей голову. Его крепкие руки гладили ей спину, губы ласкали волосы.

— Тебе нравятся мои друзья?

— Очень нравятся. Я боялась, они окажутся снобами.

— Ты им тоже понравилась. Но если некоторые из этих парней не прекратят смотреть на тебя голодными глазами, мне придется сделать им внушение.

— Насчет чего? — грудным голосом спросила Ли. Его глаза смотрели на нее так, что у нее закипела кровь.

— Пусть никто не сомневается, что ты принадлежишь мне. Именно я увидел тебя первым, и на тебе теперь табличка «Руки прочь» для всех остальных. Я очень серьезно к этому отношусь. — Чед поцеловал ее, и Ли почувствовала его возбуждение, потому что сама была возбуждена. Когда они наконец оторвались друг от друга, он чмокнул ее в щеку и сказал: — А теперь идем ужинать.

Куски мяса лежали на подносах вместе с запеченным картофелем. Рядом стояли огромные миски с салатом. Столы для пикника из красного дерева, накрытые бумажными скатертями, выстроились длинными рядами. Пока Чед наполнял их тарелки, Ли взяла на руки Сару.

Теперь девочка лежала на коленях у Чеда и била его пухленькой ножкой в живот, пока тот не положил маленький кусочек картофеля в приоткрытый розовый рот.

Все шумели, смеялись, переговаривались, пренебрегая правилами хорошего тона, веселясь всласть. Ли и вспомнить не могла, когда ей было так весело. Она аплодировала вместе со всеми, когда в зале появился огромный именинный торт с десятками свечей.

Они вернулись домой, уложили раскапризничавшуюся Сару спать, и Чед собрался уходить. У дверей он погладил Ли по щеке и сказал:

— Ты будешь мне отличной женой. Мне так понравилось быть вместе с тобой сегодня вечером. Все было совсем иначе, не так, как если бы я пришел с очередной подружкой. Мне показалось, все приняли тебя как мою половину. Мне бы хотелось, чтобы ты ею стала.

— Мне становится все труднее тебе отказывать.

— Это замечательно. Я стараюсь изо всех сил, чтобы пробить твою броню. — Он обнял ее. — Выходи за меня, Ли, ну чего нам тянуть время...

— Иногда мне кажется, что у нас все получится, но...

— Не думай о том, можст ли наш брак стать неудачным. Думай о том, что мы поступаем правильно.

— Я понимаю. Поверь мне, Чед, я стараюсь. Но твоя работа никуда не денется. Я не просто упрямлюсь или капризничаю. Я честно не знаю, как смогу с этим справиться.

— Мы можем попробовать, — негромко предложил Чед. — На следующей неделе мне предстоит уехать из города. — Ли вскинула голову, в ее глазах застыл испуг. — Это не на пожар, — поспешно успокоил ее Чед. — Мне нужно проверить оборудование в Луизиане с точки зрения пожарной безопасности. Я обещаю, что буду звонить тебе каждый вечер в десять часов. И тогда ты поймешь, как будешь себя чувствовать, когда я буду в отъезде.

Ли кивнула. Возможно, это совсем неплохая идея. Возможно, им обоим требуется время, чтобы разобраться в своих чувствах. Она не может отрицать, что физически их сильно тянет друг к другу, и, когда они вместе, это влечение мешает им мыслить здраво. В разлуке многое станет яснее.

— Когда ты должен ехать?

— Завтра.

Первым порывом Ли было наброситься на него за то, что он опять ничего ей не сказал. Потом ее охватила паника — ведь они больше не увидятся до его отъезда. Но она начала привыкать к таким быстрым переменам. Ли храбро улыбнулась, хотя губы у нее дрожали.

— Я буду по тебе скучать, — призналась она. — Ты правда обещаешь звонить мне?

Чед снова поцеловал ее, и этот поцелуй обещал не только телефонные звонки.

Если бы это были не выходные, то дни пробежали бы быстрее. Но суббота и воскресенье тянулись слишком медленно. Ли отправилась в торговый комплекс в субботу, но просто ради того, чтобы выйти из дома. Несмотря на трудности, связанные с одеванием Сары и с тем, что ее коляска мешала многочисленным покупателям, бегавшим по магазинам в поисках подарков к Рождеству, все-таки хотя бы на несколько часов у Ли получилось почти не думать о Чеде. Совсем не думать о нем она не могла.

Когда она, усталая, оказалась наконец с Сарой и многочисленными покупками дома, Ли подумала о том, как хорошо иметь рядом мужчину.

В этот вечер Чед позвонил ровно в десять часов, как и обещал. Ли уже уложила Сару и сама приняла горячую ванну, чтобы лучше спать. Она лежала в кровати и читала книгу, когда зазвонил телефон. Спустя долю секунды трубка уже была у ее уха.

— Алло? — Она не стала ничего изображать. Гордость уступила место желанию услышать его голос.

— Здравствуй, дорогая, — слова Чеда пролились словно бальзам на ее душу.

Они поговорили о каких-то пустяках — о его полете в Луизиану, о том, что она делала днем, а потом Чед сказал:

— Мне бы так хотелось оказаться рядом с тобой в постели. Заняться с тобой любовью. Или просто обнять тебя. Господи, как же я хочу тебя, Ли.

— Я тоже хочу тебя.

— Тогда выходи за меня замуж. Мы бы так замечательно зажили вместе.

— Никто не живет замечательно, Чед.

— Но мы бы жили так хорошо, как только могут жить два несовершенных человеческих существа. — Ли услышала, как Чед вздохнул. — Я люблю тебя. Я сделаю все, что в моих силах, чтобы вы с Сарой были счастливы.

— Я знаю, — спокойно ответила Ли, а про себя добавила, что он сделает все, только не бросит свою работу. Возможно, она научится с этим жить. Если только так она может быть вместе с Чедом, что ж, ей придется смириться с его опасной профессией.

Шли дни, и Ли казалось, что она почти готова принять предложение Чеда. К счастью, в воскресенье она занялась уборкой, а в понедельник отправилась на работу в торговый комплекс. Ее там не слишком ждали, но она работала ради себя. Когда они с Сарой оставались в доме вдвоем, Ли остро чувствовала, насколько пустым становится дом — и их жизнь — без Чеда Диллона.

Ли сидела в своем маленьком кабинетике, разрабатывая план оформления комплекса после Рождества. В дверь негромко постучали.

— Войдите, — откликнулась Ли, отрываясь от чертежа. Она подняла глаза и в изумлении уставилась на немолодую женщину в темном пальто. — Миссис Адамс! Я никак не ожидала вас увидеть...

Миссис Глория Адамс была подругой Сары Брэнсом. Ли часто встречала эту женщину в доме свекрови и относилась к ней с симпатией. В последний раз они виделись на похоронах матери Грега.

— Да, это я. Приехала в Мидлэнд на крестины внучатого племянника. Твоя приятельница Энн, которая работает оформителем в банке, подсказала мне, где я смогу тебя найти. Ты не пишешь, не звонишь, и мы ничего о тебе не знаем. Как твои дела, Ли?

— Нормально. У меня родилась дочка. Я назвала ее Сарой в честь ее бабушки. Ей уже четыре месяца. Подождите-ка минутку, у меня в бумажнике есть ее фотография.

Миссис Адамс с интересом разглядывала детское личико с большими синими глазами.

— Мне кажется, на Грега она совсем не похожа, — с грустью заметила она, — да и на Сару тоже. Правда, дети быстро меняются... — Женщина тряхнула головой, словно отгоняя прочь грустные мысли.

Глория Адамс принялась расспрашивать Ли о том, как ей живется в Мидлэнде, о ее новом доме, о маленькой Саре. Ли охотно отвечала на все вопросы. Они вспомнили общих знакомых, поговорили о детях и внуках миссис Адамс.

— Не пойти ли нам пообедать, Ли? Может быть, ты знаешь приличный ресторан-барбекю?

Ли знала только один такой ресторан, тот, где они уже не раз бывали с Чедом. Миссис Адамс он не слишком понравился.

— Что-то здесь грязновато, — объявила она, усаживаясь на вытертый красный диванчик в кабинке у окна.

— Зато кормят вкусно, — успокоила ее Ли и помахала рукой Сью, как всегда суетившейся возле стойки.

— Приветик, Ли! — Официантка с платиновыми волосами просияла своей золотозубой улыбкой. — Что-то ты сегодня без Чеда?

— Он в командировке.

— Понятно. Что будете пить?

— Чай со льдом, — холодно ответила миссис Адамс, которой такая фамильярность совсем не пришлась по вкусу.

— Мне то же самое, — Ли постаралась улыбнуться как можно приветливее.

— Сейчас принесу, а вы пока посмотрите меню.

Глория Адамс внимательно взглянула на молодую женщину.

— Кто такой Чед, о котором говорила эта женщина?

— Мой хороший друг, — спокойно ответила Ли, не собираясь вдаваться в подробности.

Сью поторопилась принести чай со льдом, потом так же быстро появились и заказанные женщинами блюда. Они говорили о каких-то пустяках, и Ли старательно избегала упоминаний о Чеде и его семье. Ей не хотелось говорить об их отношениях с миссис Адамс. Вряд ли она придет в восторг от того, что Чед принимал у Ли роды на обочине шоссе. Скорее будет ругать Ли за глупое безрассудство.

Заказанные блюда понравились Глории, и у нее снова улучшилось настроение. Она пообещала рассказать знакомым в Эль-Пасо о новой жизни Ли Брэнсом и о ее маленькой дочке.

Женщины подошли к кассе, чтобы Ли могла расплатиться.

— Передавай привет Чеду, когда он вернется, — напутствовала ее Сью. — Вы с ним парочка что надо!

Миссис Адамс поджала губы. Они вышли на улицу, и она повторила свой вопрос:

— Ли, кто такой Чед? Какие у вас отношения? — Глории Адамс казалось, что на правах старой подруги Сары Брэнсом она имеет право допрашивать ее бывшую невестку.

— Чед Диллон — прекрасный человек, он очень любит меня и Сару. И я собираюсь выйти за него замуж! — выпалила Ли, хотя в последнем она совсем не была уверена.

— Замуж?! — возмущению миссис Адамс не было предела. — Грега убили чуть больше года назад, а ты уже снова собираешься замуж? Вы были такой чудесной парой, он так тебя любил, а ты... Ты предала память Грега и память Сары! — На глаза женщины навернулись слезы. — Я была лучшего мнения о тебе, Ли. Не беспокойся, подвозить меня не надо, я возьму такси.

Глория Адамс повернулась на каблуках и, не дав Ли возможности сказать хотя бы слово в свое оправдание, направилась к стоянке машин.

Ли осталась стоять на дорожке, ведущей к ресторану. Догонять миссис Адамс, оправдываться? Зачем? Это бессмысленно. Она все равно ее не поймет.

Молодая женщина не стала возвращаться в торговый комплекс, а забрала Сару у миссис Янг и отправилась домой. Она занималась привычными делами, играла с дочкой, а в голове у нее эхом отдавались слова Глории: «Ты предала память Грега и память Сары!» Неужели миссис Адамс права? Возможно, новая любовь пришла к Ли слишком быстро, но было ли это предательством? Ее муж мертв, его не вернуть. Если она откажется от отношений с Чедом, Грега она все равно не воскресит...

Ли вспомнила свою свекровь, ее добрую улыбку, мягкий взгляд серых глаз, не потускневших с годами. Да, Сара Брэнсом тоже овдовела рано и растила сына одна. Стала бы она осуждать Ли теперь? Нет, мать Грега поняла бы ее, как понимала всегда, когда Ли обращалась к ней за помощью или советом. И Ли постаралась выбросить встречу с миссис Адамс из головы.

Чед звонил каждый вечер в условленное время и тратил огромные суммы на разговоры.

— Ты можешь себе представить — здесь в декабре москиты! Клянусь тебе, что один точно живет в моем номере в мотеле. Я его не вижу, но каждую ночь он жужжит у меня над ухом, и мне никак не удается с ним расправиться.

Ли смеялась в ответ, ее сердце было переполнено любовью. Она с гордостью рассказывала Чеду, что сделала в его отсутствие. Его звонки стали для нее необходимыми. Каждый вечер между девятью и десятью часами стрелки часов как будто замедляли свой ход. И когда в конце недели Чед позвонил и сказал, что не сможет вернуться так скоро, как планировал, вся ее радость, вся гордость улетучились.

— Прости меня, Ли. Я думал, что вернусь уже завтра, но мы ждем поставку оборудования из Хьюстона. Я сижу здесь и ничего не делаю, но улететь домой не могу. Ведь ты же все понимаешь, правда?

«Нет!» — мысленно крикнула она.

— Разумеется, — вслух сказала Ли. — Со мной, честное слово, все в порядке.

— Я люблю тебя. И позвоню завтра в это же время.

Казалось, фортуна отвернулась от Ли. На следующий день, в самый разгар торговли, дети, оставленные без присмотра, опрокинули рождественскую елку, установленную перед одним из самых популярных магазинов. Ли и ее бригада кинулись устранять хаос, возникший из-за этого происшествия, но им потребовалось несколько часов, чтобы все привести в прежний порядок. Некоторые из украшений были непоправимо испорчены, поэтому Ли решила обойтись тем, что уцелело.

Наряжая заново елку, она ругала про себя легкомысленных родителей, занятых только покупками. К тому же вокруг собрались любопытные, кто-то давал советы, а от этого дело не спорилось быстрее.

Закончив вешать игрушки, Ли с грустью посмотрела на плоды своего труда. Пушистое дерево выглядело голым. Владелец магазина тоже был недоволен, хотя суета привлекла новых покупателей.

Из торгового комплекса Ли уехала поздно. Она так торопилась забрать Сару, что ее остановил полицейский, и ей пришлось платить штраф за превышение скорости.

— А вы знаете, что должны были пройти техосмотр еще месяц назад? — вежливо поинтересовался офицер. Он говорил так, словно речь шла о состоянии ее здоровья.

— Нет, — сокрушенно произнесла Ли.

— Мне придется выписать вам штраф еще и за это.

Сара плакала, не умолкая ни на секунду, поэтому миссис Янг, всегда охотно бравшая ее к себе, впервые была рада, что девочку наконец забрали. Малышка вопила так громко, что Ли никак не могла сосредоточиться на дороге. Когда в торговом комплексе упала злополучная елка, у нее от волнения разболелась голова. А теперь от плача Сары боль еще сильнее запульсировала в висках.

Малышка не стала есть, не пожелала успокоиться, не хотела, чтобы ее укачали, не хотела ложиться в кроватку, не хотела сидеть на руках. Ли так и не удалось поесть, настолько ее выбило из колеи необычное поведение Сары. У девочки поднялась температура, но это было скорее следствием истерики, а не признаком болезни, потому что никаких других симптомов не было. Измученная долгими попытками успокоить дочку, Ли отнесла Сару в кроватку и уложила на животик.

— Полежи немного. Можешь продолжать плакать, — сказала она и вышла из комнаты, закрыв за собой дверь.

Чувствуя себя худшей из всех преступниц, Ли все-таки постаралась не обращать внимания на крик девочки. Она разделась и приняла горячий душ. Спустя полчаса Сара все еще продолжала плакать, и Ли позвонила врачу.

— Я просто не представляю, что это может быть, — сказала она ему.

— Возможно, у нее снова режутся зубки или разболелся животик. Я позвоню в круглосуточную аптеку и попрошу их привезти вам слабый анальгетик. Саре это не повредит, и вы обе сможете спать ночью. Если она не успокоится до утра, привозите ее ко мне.

Ли взглянула на часы, надеясь, что посыльный из аптеки приедет до десяти, чтобы она смогла все-таки поговорить с Чедом.

В половине одиннадцатого Чед еще не позвонил и посыльный не появился. Она мерила шагами комнату, держа Сару на руках, поглаживая ее по спине. Обе они плакали.

— Как Чед мог так поступить со мной именно сегодня? — Ли обращалась к пустой гостиной. — Почему именно сегодня он нарушил свое обещание?

Мальчик-посыльный явился в половине двенадцатого, жизнерадостный, веселый, румяный, и даже не извинился за опоздание. Ли готова была дать ему оплеуху, когда на прощание он пожелал ей приятного вечера.

Сара закашлялась и выплюнула лекарство, так что Ли оставалось только гадать, какая его часть все-таки попала по назначению. Судя по всему, Сара выплюнула все, потому что плакать она так и не перестала. Ли попыталась лечь вместе с малышкой в свою кровать, но и это не помогло. Девочка плакала уже несколько часов подряд, впрочем, как и ее мать. Ну почему же Чед не позвонил? Неужели с ним что-то случилось?

Уже было за полночь, Ли по-прежнему ходила с Сарой по комнате, когда услышала осторожный стук в дверь. Охваченная надеждой и тревогой Ли бросилась к двери и распахнула ее.

— Почему везде горит свет... Что случилось, Ли? — снова и снова спрашивал Чед. Женщина буквально рухнула ему на руки. Она прижалась лицом к его груди и зарыдала.

— Ты не позвонил, и Сара плачет уже несколько часов, а я не могу понять, почему. Меня оштрафовали за превышение скорости... Я забыла пройти техосмотр... За это мне тоже выписали штраф... И еще елка упала... Я готова была удавить этих мальчишек и их беспечных матерей...

— Ли, ради всего святого, что здесь происходит? Иди в дом. На улице очень холодно. И что случилось с Сарой? Почему она не спит?

Чед взял Сару на руки, а Ли смотрела на них так, словно они оба могут сию секунду исчезнуть. Он отнес девочку в ее комнату, сел с ней в кресло-качалку, положил ее головку себе на плечо и стал тихонько раскачиваться, поглаживая малышку по спине.

Ли, всего час назад поклявшаяся убить его за то, что он не позвонил, словно глотнула свежего воздуха. Да, она хотела свернуть Чеду шею, но вот она стоит перед ним вся в слезах, бесконечно благодарная за то, что он вернулся, взял всю ответственность на себя, сняв ее с усталых плеч Ли.

Прислонившись к косяку, она рассказала ему о Саре, не забыв передать слова доктора.

— Я думаю, что лекарство все-таки помогает, — прошептал Чед.

Ли не могла в это поверить, но это было правдой. Сара перестала плакать и свернулась на коленях у Чеда. Глаза, обрамленные черными длинными ресницами, еще мокрыми от слез, были плотно закрыты.

Спустя несколько минут девочка уже спокойно спала в своей кровати.

— Я думаю, что завтра с утра надо будет все-таки вызвать врача. Пусть он ее посмотрит, — сказал Чед.

— Ты прав. Сара никогда еще так не плакала.

— Теперь займемся тобой. Ты просто валишься с ног.

Чед прошел по всему дому, выключил везде свет и вернулся к Ли, которая ждала его в коридоре. Он нежно обнял ее и прижал к себе.

— Прости, что не позвонил, но я уже был в пути. Часть оборудования, которую мы ждали, привезли сегодня после полудня, так что к вечеру я сумел все закончить. Я попытался до тебя дозвониться, но тебя не было дома.

— Я поздно вернулась, да еще и штраф заработала. Вернее, два.

Чед усмехнулся:

— Ты говорила. И что-то еще насчет елки.

— Я тебе потом расскажу. Сначала я хочу послушать тебя. — Ли нужно было просто слышать его голос, убеждающий ее, что Чед снова с ней, снова рядом. Теперь она знала наверняка, что не хочет больше расставаться с ним. Она доказала всем, что и одна может справиться. Но почему она должна пребывать в одиночестве, если с Чедом ее жизнь становится ярче, красочнее, полнее? Почему она должна обрекать себя на одинокие ночи, когда он хочет делить с ней радости и горести?

— Так вот, как я уже говорил, мы смогли улететь из Луизианы. И к тому времени, как мы добрались до Мидлэнда, проверили самолет, доложились начальству, уже было быстрее доехать сюда, чем звонить. Прости, если я тебя огорчил.

— Да, я была очень расстроена, но теперь это не имеет никакого значения. Ты здесь, а это намного лучше телефонного звонка.

— Эта неделя без тебя показалась мне чертовски длинной. Ты нужна мне сегодня вечером, Ли, и я думаю, что тоже нужен тебе, — Чед обнял ее крепче и поцеловал.

— Ты прав. — Взяв его за руку, она повела Чеда в свою спальню. Они сбросили с себя одежду, и Ли встала перед ним обнаженная. Она положила его руку себе на грудь.

— Господи, ты потрясающая женщина, — выдохнул он, опуская голову, чтобы принять то, что ему так щедро предлагали. Его горячий влажный рот сомкнулся вокруг соска. Она вцепилась в него, откинула назад голову, и ее волосы заструились по спине. Его ласки сводили ее с ума, лишали сил.

Чед отнес ее на кровать и уложил лицом вниз. Его крепкие руки массировали ее тело, снимая усталость, накопившееся за день напряжение и разжигая желание. Потом его губы ласкали каждую клеточку ее тела.

Ли перевернулась на спину и притянула Чеда к себе, ища более полного удовлетворения.

— Не торопись, — прошептал он. — Позволь мне любить тебя.

Наконец, когда они оба дрожали от едва сдерживаемого желания, он глубоко вошел в нее, заполняя ту пустоту, что не давала ей покоя. Чед нашептывал Ли слова любви, и без рифмы и ритма, они все равно звучали для нее как стихи.

Они слились в единое целое, соединившись телами и душами.

А потом наступил покой и насыщение. Но Чед не желал успокаиваться. Он приподнялся на локте и взглянул в лицо Ли своими удивительными синими глазами:

— Ты выйдешь за меня замуж?

Смеясь и плача одновременно, она ответила:

— Да. Да, любовь моя, я выйду за тебя замуж.

9

ы шутишь? — Лоис Джексон даже не пыталась скрыть своего недоверия. Ли увидела, как мать посмотрела на отца, ища его поддержки. Но Харви Джексон тоже не мог поверить своим ушам. Ли набрала в легкие побольше воздуха и приготовилась в неминуемому сражению.

— Я говорю совершенно серьезно, мама. Я счастлива. Я люблю Чеда. Он любит меня и Сару. Мы поженимся первого января.

Если бы обсуждаемая ими тема не была настолько серьезной, Ли расхохоталась бы — настолько изумленными выглядели родители. Накануне она позвонила им и попросила приехать на денек в Мидлэнд, но не сказала, зачем. И вот теперь, когда они уже расспросили ее о здоровье ребенка и о ее собственном, выпили по чашечке кофе, приготовленного в новой кофеварке, порадовались, что она наконец ее купила, и заняли любимые места в ее гостиной, Ли преспокойно объявила им, что выходит замуж через две недели.

— Но, Ли, это же... просто неприлично. Грег совсем недавно умер...

— После смерти Грега прошло больше года, мама. Я полагаю, что такой период траура удовлетворит самых строгих блюстителей нравственности. — Ли вспомнила о миссис Адамс, но вслух ничего не сказала.

— Не дерзи мне, Ли. Это раздражает. Особенно при сложившихся обстоятельствах.

— Прости, пожалуйста. — Ли знала, что не так-то легко будет сообщить родителям о предстоящей свадьбе, но она и представить не могла, что разговор окажется настолько неприятным. Чед хотел присутствовать при этом разговоре, чтобы поддержать Ли, но она отказалась. Зная, насколько у Лоис Джексон ядовитый язык, она решила первый раунд провести в одиночестве.

— Ли, — голос ее отца звучал добрее и мягче, чем у матери, — неужели ты влюбилась в этого человека только потому, что он принял у тебя роды? Возможно, если ваши отношения продлятся дольше, то ты поймешь, что тобой движет благодарность, а не любовь.

Ли улыбнулась про себя и мысленно вернулась к той ночи, когда она приняла предложение Чеда. Лежа в его объятиях, испытывая восхитительное чувство усталости и удовлетворения, она подняла голову, поцеловала его в подбородок и прошептала:

— Спасибо.

Его глаза были закрыты, но одна бровь удивленно изогнулась.

— За что?

— За то, что ты любишь меня.

Она услышала, как Чед негромко рассмеялся.

— Это доставляет мне удовольствие.

Ли улыбнулась.

— И за это спасибо. — Ее палец пробирался сквозь волосы на его животе. — Но я говорила о любви. О том, что ты любишь меня и Сару. Не все мужчины способны принять чужого ребенка.

Тут Чед открыл глаза и повернул к ней голову.

— Странно, но я всегда относился к ней, как к собственной дочери. Внешне она похожа на тебя, а не на Грега, каким ты мне его описывала. И потом, я же присутствовал при ее рождении. Что касается меня, то даже вопроса быть не может. Она наша дочка.

Ли крепко обняла его.

— А ты думал о том, чтобы удочерить ее? Дать ей свою фамилию?

— Мне бы очень этого хотелось, но я бы не осмелился просить тебя об этом. Биологически она дочь Грега.

— Да и я хочу, чтобы она знала об этом и о том, кто на самом деле был ее отцом. Но после смерти его матери, Сары, у Грега больше не осталось родственников. Ты будешь единственным отцом для моей Сары, и мне кажется, что ей лучше будет носить нашу фамилию. Учитывая все обстоятельства, так будет намного спокойнее, люди не будут задавать никаких вопросов.

— Я хочу, чтобы вы обе носили мою фамилию и чтобы это произошло как можно скорее.

У Ли тепло прилило к щекам при воспоминании о последовавшем за этими словами поцелуе. Да, у нее много причин быть благодарной Чеду Дину Диллону. Она обратилась сразу к отцу и матери:

— Я буду вечно благодарна Чеду за то, что он оказался рядом в тот день, что он показал себя настоящим мужчиной, справившись со сложной задачей и проявив максимум такта и заботы обо мне. Но благодарностью мои чувства не исчерпываются. Я хочу, чтобы он был моим мужем, моим любовником.

— О господи, — задохнулась Лоис и прижала руку к груди. — Ли, ты совсем недавно стала матерью. Ты только послушай, что ты говоришь. Харви, да скажи же хоть что-нибудь, — прошипела она, обращаясь к мужу. И, не дав ему возможности вставить хотя бы слово, Лоис снова бросилась в атаку: — Ты сама сказала нам в тот день в больнице, что он выглядел так, будто вознаграждение за услуги ему совсем не помешает. У него есть работа? Чем он занимается?

Ли не собиралась пока обсуждать эту тему. Ей самой придется как-то примириться с тем, чем занимается Чед, и ей очень хотелось, чтобы у нее это получилось. Всем сердцем любя его, она была готова сражаться с той неприязнью, которую она не могла не испытывать к любой работе, связанной с риском. Тем более к тушению пожаров. И потом, ее мать спрашивает о профессии Чеда совсем по другой причине. Ее интересует исключительно его финансовый и социальный статус. Она так и не простила дочери того, что та вышла замуж за простого государственного служащего. «Вот мама удивится, когда все узнает», — подумала Ли.

Она улыбнулась:

— Да, мама, у него есть работа. Он работает на буровых вышках.

— Рабочий! — простонала Лоис. — Ли, ради всего святого, одумайся! Ты собираешься выйти замуж за рабочего, ничего не зная о его происхождении. Одному господу известно, как он будет с тобой обращаться.

Харви! — рявкнула она на мужа, призывая его высказаться.

— Ли, дорогая, мы не говорим о том, что следует отменить свадьбу. Но было бы благоразумнее немного отложить ее, чтобы мы все могли узнать друг друга лучше. Мы не можем диктовать тебе, как следует поступить, ты уже взрослая, самостоятельная женщина, но ты действуешь, не подумав. Мы не хотим, чтобы тебе причинили боль. Ты должна думать не только о себе, но и о своей дочери.

Ли решила расправиться с его аргументами по очереди:

— Во-первых, мы не будем откладывать свадьбу. Мы не собираемся жить вместе до дня бракосочетания, поэтому едва можем этого дня дождаться. Во-вторых, у вас обоих будет возможность сегодня же познакомиться с Чедом. Он приглашает вас в свой дом на ленч, и я за вас приняла это приглашение. — Она проигнорировала возмущенное восклицание матери. — В-третьих, я рада, что вы признаете тот факт, что я женщина взрослая и самостоятельная, так что я сама могу принимать решения. Я просто сообщаю вам, что выхожу замуж за Чеда, и неважно, одобряете вы это или нет. И в-четвертых, хотя это самое главное, он души не чает в Саре, а она в нем. Теперь, по-моему, все предельно ясно.

Чед будет здесь через полчаса, а мне еще надо переодеться. Прошу меня извинить.

На ее лице сияла торжествующая улыбка, когда она выходила из гостиной в мертвой тишине. Она надела синее платье из джерси, которого Чед раньше не видел. Мягкий высокий воротник ласкал ей шею, а особый оттенок синего кобальта придавал еще больше синевы ее глазам и подчеркивал великолепный цвет лица. Ли разбудила Сару и одела ее в новенький костюмчик.

Когда Ли вернулась в гостиную, ее родители сидели в той же позе, как она их оставила. Харви Джексон неловко ерзал в своем кресле. Лоис с осанкой королевы сидела на диване.

— Ты будешь хорошей девочкой и полежишь в корзинке, пока Чед не приедет? — спросила Ли у Сары.

— Я не одобряю этого, Ли. Я держала тебя на руках, пока ты была маленькой. Нынешние молодые матери совсем не думают о детях.

Ли закусила губу, чтобы не ответить матери резкостью. Никто не любил Сару больше, чем она. Вместо этого молодая женщина спокойно сказала:

— Я знаю, насколько важны для ребенка руки матери. Каждый день я несколько часов провожу с Сарой, укачиваю ее, глажу, играю с ней. Но я делаю это тогда, когда этого хочется мне, а не ей. Так она не превратится в капризулю, которая будет ждать, что я все брошу и прибегу к ней при первом же крике.

— Нет ничего плохого...

Никогда еще звонок в дверь не оказывался так кстати.

— Это Чед. — Ли направилась к двери и едва не бросилась в его объятия. Теперь она не была единственным солдатом на поле боя.

— Привет, — он прижал Ли и поцеловал, не обращая внимания на осуждающие взгляды ее родителей.

— Привет, — ответила Ли, когда он наконец отпустил ее. В ее глазах Чед прочел предупреждение, что сейчас ему придется несладко. Он весело подмигнул. Взяв его за руку, Ли подтолкнула Чеда вперед.

— Мама, отец, это Чед Диллон. Чед, познакомься с моими родителями, Лоис и Харви Джексон.

Чед повернулся к Лоис и кивнул. Мать Ли не подала ему руки.

— Миссис Джексон, рад познакомиться с вами. Я надеюсь, вы поделитесь с Ли вашим рецептом картофельного салата. Я как-то ел этот салат в вашем исполнении. Это было восхитительно. — Он наклонился к оторопевшей женщине и прошептал: — Он даже лучше того, что готовит моя мать. Только не говорите маме, что я вам об этом сказал.

Совершенно сбитая с толку, не находя слов для ответа, Лоис Джексон едва смогла вымолвить:

— Гм... Да... Спасибо. Я тоже рада познакомиться с вами. — Но по ее тону было ясно, что это дань хорошим манерам, а не искреннее приветствие.

Чед повернулся к Харви. Тот улыбался молодому человеку, который сумел укротить его жену.

— Сэр. — Чед крепко пожал протянутую руку. Когда с представлениями было покончено, Чед опустился на колено, чтобы поговорить с Сарой. Девочка весело задрыгала крепкими ножками при звуке его голоса.

Ли видела, что ее мать рассматривает Чеда, как придирчивый страховой агент поврежденную машину. У Диллона были отличные манеры, он получил хорошее образование. Молодой мужчина был, несомненно, красив, это сразу бросалось в глаза, а вот понять, что он умеет одеваться, с первого взгляда было непросто. Его широкие брюки цвета сливочной карамели сидели на нем так, как могут сидеть только брюки от хорошего портного, а темно-коричневый пиджак явно был произведением известного французского модельера. Под пиджак Чед надел тонкий свитер цвета сливок, выгодно подчеркивающий цвет его темных волос.

Чед выпрямился и потер руки знакомым Ли жестом.

— Я надеюсь, что Ли передала вам мое приглашение на ленч.

— Да, спасибо, Чед. — Харви опередил жену, прежде чем та успела отказаться от приглашения.

— Итак, все готовы ехать? — спросил Диллон.

Ли оставалось только пожалеть свою мать. Один сюрприз следовал за другим. Первым из них стал «Феррари». У Лоис чуть глаза из орбит не выскочили при виде сверкающей синей спортивной машины.

— Вот это машина, Чед! — не удержался и присвистнул Харви.

— Вы сможете тоже водить ее, — вежливо предложил будущий зять. — Хотя бы изредка, если пожелаете.

— Я бы с удовольствием. — Ли удивил энтузиазм отца, который всегда ездил на консервативном «Бьюике».

— Мне жаль, что все мы не поместимся в моей машине. Вы не возражаете против того, что вам придется ехать следом за нами? — спросил Чед.

— Не возражаем. Мы с удовольствием поедем следом. — Харви повел обомлевшую жену к «Бьюику», пока Чед помогал Ли и Саре устроиться в «Феррари».

По дороге к его дому Чед вопросительно взглянул на Ли:

— Ну как?

— Они были против самой идеи, пока ты не появился. Картофельный салат, ну надо же! Это была гениальная мысль!

Он усмехнулся:

— Черт побери, мне надо было выступить с какой-нибудь сногсшибательной фразой типа «теперь я вижу, в кого ваша дочь такая красавица». Но ведь это так банально и избито.

Ли рассмеялась:

— Я бы сказала, что ты набираешь очки. Твой внешний вид, твоя одежда и особенно машина уже сделали свое дело.

— Внешний вид?

— Мне кажется, я сказала им тогда в больнице, что ты был страшно грязный, потому что возился с мотором самолета. Я думаю, они ожидали увидеть тебя сегодня именно таким — старая одежда, грязное лицо, чернота под ногтями, запах машинного масла.

— Ты нечестно играешь, Ли.

— Почему?

— Как раз в тот день, когда я должен идеально себя вести, ты надеваешь платье в обтяжку, которое так соблазнительно обрисовывает твои округлые груди, тонкую талию, симпатичную задницу и длинные стройные ноги. Это, по-твоему, честно?

— Чед, — негромко воскликнула Ли, — если бы моя мать услышала тебя сейчас — груди, задница, — у нее бы случился сердечный приступ.

— А как ведет себя твое сердечко? — с деланой тревогой поинтересовался он. Его рука, лежавшая на бедре у Ли, поднялась к ее левой груди. Чед прижал ладонь, словно слушая сердцебиение. — Тук-тук, тук-тук.

Изображая оскорбленную невинность, Ли отпрянула от него и надменно произнесла:

— Прошу вас держать обе руки на руле, чтобы моя мать могла их там видеть. С моим сердцем все в порядке, благодарю вас.

Они оба засмеялись, потом Чед негромко заметил:

— Это будет чертовски длинный день.

Ли не сомневалась, что если у Лоис и Харви еще оставались какие-то сомнения насчет их будущего зятя, то в тот момент, когда они увидели дом, все они рассыпались в прах. Она бы отдала свой месячный гонорар, только бы услышать, что было сказано в «Бьюике» в тот момент, когда они въехали в ворота.

Чед провел гостей через парадную дверь, и Ли заметила, что у ее матери даже рот приоткрылся от удивления, когда она оглядывала комнаты. Чед держался с Джексонами дружески-вежливо, был предупредителен и внимателен. Все прошли в столовую. Стол был накрыт безупречно, не был забыт даже букет из бледно-желтых хризантем и ярко-оранжевых бархатцев, украсивший центр стола. Ли помогла Чеду принести приготовленные блюда.

— Вы сами готовили этот пирог с грибами? — холодно-вежливо спросила Лоис, отламывая вилкой крошечный кусочек.

Чед рассмеялся и вытер рот льняной салфеткой.

— Нет, мэм, это все моя экономка. Сегодня утром мне только оставалось поставить его в духовку. Вот с этим я вполне могу справиться.

Ли изумленно смотрела на блюда, которые Чед выбрал для своих гостей. Зная его аппетит, она ожидала увидеть мясо и картофель или, возможно, говядину под соусом чили, во всяком случае, что-то основательное и калорийное. Но он попросил миссис Де Леон приготовить фруктовые компоты, пирог с грибами и беконом, салат из шпината с апельсинами, мандаринами и миндалем и многослойное мороженое, которое он подал в тонких бокалах на высоких ножках. Все было необыкновенно вкусно и красиво, но Ли давилась от смеха всякий раз, когда Чед брал вилкой малюсенький кусочек пирога.

Лоис настояла на том, чтобы вместе с Ли убрать со стола после ленча. Сару уже накормили, и она чувствовала себя как дома в детской кроватке, которую Чед поставил в одной из четырех спален большого дома. Чед с Харви пошли поупражняться в гольф на траве у бассейна.

— Ты могла бы предупредить меня, Ли, — с упреком сказала ей мать.

— О чем? — невинно изумилась Ли, стряхивая скатерть.

— Обо всем... этом, — Лоис неопределенно махнула рукой. — Ты же дала основания думать, что Чед Диллон — бедняк из бедняков.

— Когда я полюбила его, мама, я тоже так думала. И для меня его богатство не имеет значения. Я люблю Чеда-человека, мужчину, а не денежный мешок. Я надеюсь, что вы с папой тоже искренне полюбите его.

— О, Ли, — в голосе Лоис слышался упрек, — я понимаю, что ты считаешь меня расчетливой и меркантильной, но ты даже не представляешь, что такое быть бедной, а я через это прошла. Я видела, как распался брак моих родителей, потому что у них было четверо детей, которых не на что было содержать. — По надменному лицу Лоис пробежала тень неприятных воспоминаний. — Деньги сами по себе не приносят счастья, но без них трудно быть счастливым. Подумай о том, как бы ты чувствовала себя, если бы не могла купить подарок Саре к Рождеству или на день рождения, если бы тебе приходилось одевать ее в дешевые готовые платья и ты не смогла бы послать ее учиться в приличный колледж!

Увидев незнакомое ей выражение уязвимости на лице матери, Ли устыдилась своего невнимания к ней. Лоис редко рассказывала о своем детстве, но Ли могла бы помнить, что материнская страсть к вещам связана с пережитыми ею лишениями.

— Прости меня, мама. Я знаю, что ты желаешь мне только добра. Я просто хотела, чтобы ты поняла, что Чед самый лучший, но не из-за того, что он имеет, а из-за того, каков он сам.

— Он совершенен, я вижу, — с суховатой усмешкой ответила Лоис. Ли спрятала улыбку, услышав такое определение, обняла мать и быстро поцеловала ее.

Лоис Джексон обняла дочь, как всегда, без особых эмоций, но Ли поняла, что они заключили нечто вроде сепаратного мира. Когда мужчины вернулись в дом, женщины мирно беседовали. Чед разжег огонь в огромном камине в гостиной. Он всем, кроме Ли, принес кофе, как только они уютно устроились у огня. Чед сел рядом с Ли на диване и положил руку ей на плечи.

— Ли говорила, что вы работаете на нефтяных вышках, Чед. А чем, собственно, вы занимаетесь? — поинтересовался Харви.

— Я работаю на компанию «Фламеко».

— «Фламеко»? — Харви нахмурился, пытаясь вспомнить. — Я о ней слышал, но никак не могу сообразить...

— Мы тушим пожары на нефтяных скважинах, — спокойно сообщил Чед.

— О господи! — Чашечка Лоис громко стукнула о блюдце. Она быстро поставила ее на маленький столик орехового дерева рядом с ее креслом. Она не сводила глаз с дочери, и та впервые не могла решиться взглянуть матери в лицо. Ли разглядывала свои руки.

Харви кашлянул, не зная, что сказать, потом нашелся:

— В чем заключается ваша работа?

Чед закинул ногу на ногу. На нем были коричневые ботинки, которых Ли ни разу не видела. Она предпочла сосредоточиться на них и не слушать того, что Чед будет говорить ее отцу.

— Разумеется, вся бригада работает сообща, но я занимаюсь тем, что перекрываю доступ воздуха.

— Как это делается?

— Если не вдаваться в технические подробности, мы закладываем взрывчатку в место образования пожара. При взрыве поглощается кислород, и горение прекращается. В этот момент появляюсь я с задвижкой. Ее необходимо поставить до момента возникновения следующей искры.

Чед почувствовал, как вздрогнула Ли, и замолчал. Он сжал ее плечо и попытался ей улыбнуться. Но она так и не подняла головы, продолжая рассматривать его ботинки.

— Очень опасная работа, насколько я могу представить, — откровенно заявил Харви.

— Да, сэр, действовать надо очень аккуратно. Мы все знаем, чем чреваты ошибки, и стараемся их не допускать. Пожары не похожи один на другой, и мы всегда изучаем очаг возгорания до того, как принимаемся за работу.

— И как давно вы работаете на эту компанию? — спросил Харви. Лоис и Ли будто онемели и не принимали участия в разговоре.

— Я пришел туда сразу после окончания колледжа, сэр, и проработал двенадцать лет. — Он на мгновение замолчал. Ли почувствовала, что его синие глаза уперлись в ее макушку. — Это достаточно долгий срок. Мне кажется, что с этим пора кончать.

Ли так стремительно подняла голову, что у нее потемнело в глазах.

— Что? — шепотом переспросила она. — Что ты только что сказал?

Его рука ласкала ее длинные волосы.

— Я не хочу давать тебе никаких обещаний, Ли, если не могу их сдержать. Но, возможно, тебе не слишком долго придется обо мне беспокоиться.

Ли понимала, что большего она от него не добьется. Он и раньше не слушал ее возражений против его работы. И хотя ее снедало любопытство, Ли понимала, что ей придется довольствоваться этим намеком. Уже то, что он понял ее страх и думал над этой проблемой, было облегчением. Он с такой любовью смотрел на нее, и Ли догадалась, что Чед пытается убрать последние препятствия с их дороги к счастью.

После этого разговор стал общим, но вялым. В какой-то момент Харви задремал, и Лоис резко окликнула его. Мистер Джексон буквально подскочил на месте.

— Ох, простите, — сладко зевнул он. — Почему бы вам не пойти вдвоем в кино или еще куда-нибудь? А мы с Лоис можем остаться с Сарой. Молодым людям, которые собираются пожениться, незачем сидеть со стариками. Им нужно побольше бывать вместе и наедине. А я сомневаюсь, что Сара давала вам такую возможность. — Он подмигнул Чеду.

— Это очень самоотверженное предложение, сэр, — с ледяной вежливостью ответил Чед, но, когда он взглянул на Ли, в его глазах прыгали веселые искры. — Что ты об этом думаешь, Ли? Можем ли мы бросить твоих родителей на растерзание Саре?

Через десять минут Чед и Ли уже направлялись к дверям, удостоверившись в том, что Джексоны знают, где найти еду и питье для девочки, во сколько она просыпается, и сообщив им приблизительное время своего возвращения.

— Еще раз спасибо вам, — обратился Чед к Харви, закрывая за собой дверь. Когда он заводил мотор, он выглядел как мальчишка, сбежавший с уроков. — Не могу в это поверить! Несколько часов вдвоем!

— Я надеюсь, ты понимаешь, что моя мама сунет нос во все уголки. Полагаю, тебе нечего скрывать.

— Я не боюсь никаких проверок.

— Ты весь день вел себя как истинный джентльмен.

— Истинный джентльмен вот-вот превратится в чудовище, — прорычал Чед и, остановившись на красный сигнал светофора, наклонился к Ли, чтобы поцеловать ее.

Красный свет давно сменился зеленым, но водителю стоявшей за ними машины пришлось трижды нажать на клаксон, чтобы они это заметили.

— Кино — это замечательно, — заметил Чед, пока Ли пыталась отдышаться после поцелуя. — Мы еще ни разу не ходили вместе в кино, так ведь? Но сначала главное. — Чед свернул к ресторанчику, следуя указателю на шоссе. Ли расхохоталась.

— А я-то все гадала, как долго ты продержишься?

— Я просто умираю с голода, — признался Чед и вышел из машины.

Ли смотрела, как он ел куриный стейк с хрустящей корочкой, макая его в густой соус. Два толстых куска техасского хлеба и дымящаяся тарелка с жареным картофелем дополняли картину. Чед к тому же пообещал Ли, что в кинотеатре он обязательно съест еще и десерт.

Они пошли в многозальный кинотеатр в торговом комплексе. Ли извинилась и ушла в дамскую комнату. Когда она вернулась, то увидела, что Чеда буквально зажали в угол две молодые женщины — блондинка и брюнетка. Темноволосая красотка запустила руку в стакан с попкорном, который Чед предложил ей. При этом она прижалась к нему грудью с таким бесстыдством, что у Ли закипела кровь.

Чед заметил ее, обошел своих подружек и направился к ней. Ревность в ее глазах, которую она не сумела скрыть, заставила его улыбнуться.

— Ли, это Хелен и ее подруга... гм...

— Донна, ты несносное создание, — подсказала ему блондинка, игриво шлепая его по груди.

Ли едва подавила желание отчитать девицу за такую фамильярность.

— Здравствуйте, — холодно поздоровалась она.

— Привет, — пропели девушки в унисон.

— Будет еще одна настоящая техасская вечеринка с танцами и барбекю тридцать первого декабря, Чед. Ты придешь? — поинтересовалась Хелен, интенсивно двигая челюстями — она не переставая жевала резинку.

— Не знаю. Я должен обсудить это с Ли. Так как наша свадьба состоится на следующий день, возможно, мы пропустим эти танцы.

— Свадьба? — удивленно переспросила Хелен. — Ты собрался жениться?

— Я полагаю, что свадьбы именно для этого и существуют, — вежливо ответил Чед. Ли поняла, что ревновать не стоит — Чед явно только и ждал случая, чтобы сообщить новость Хелен и Донне, и все-таки ничего не могла с собой поделать.

— Что ж, прими мои поздравления, — фальшиво улыбаясь, проворковала Хелен. — Пока, Чед.

Она рванулась прочь, потащив за собой недоумевающую Донну.

— Ты собрался жениться? — Ли передразнила Хелен, пока Чед вел ее в зал.

— И я не могу дождаться дня нашей свадьбы, — он поцеловал ее в губы. — А теперь помолчи.

Чед выбрал места в последнем ряду у самой стенки. Так как зал был заполнен едва ли на четверть, их поведение не могло не показаться подозрительным.

— Чед, — еле слышно сказала Ли, — возможно, я не упоминала об этом, но я несколько близорука. Я ничего не вижу отсюда.

— Это не имеет значения. Как только погасят свет, я намерен приступить к поцелуям и более интересным ласкам.

— А я хочу посмотреть фильм, — поддразнила его Ли.

— Я его уже видел. Он не настолько хорош.

— Ты его уже видел? — произнесла она театральным шепотом, заставившим их ближайших соседей раздраженно обернуться. Ли понизила голос: — Почему ты об этом не сказал?

— Потому что я хотел заняться...

— Поцелуями, — закончила за него Ли. — Не забудь и о других ласках.

— Что ж, а я собираюсь смотреть кино. Тебе придется утешиться твоим попкорном.

— Он просто восхитителен, — сладострастно произнес Чед, бросая в рот целую горсть обжаренной кукурузы.

Ли поудобнее устроилась в кресле и стала смотреть на экран, казавшийся ей почтовой открыткой в конце темного туннеля. Она вежливо отказалась от предложенного Чедом попкорна, колы и миндаля в сахаре.

Уголком глаза она видела, что он все доел и допил, аккуратно сложил пустые пакеты и банки под сиденьем. Он оказался прав. Фильм был так себе, но она осуждающе взглянула на него, когда он положил руку на спинку ее сиденья.

Чед неторопливо отвел прядь волос от ее уха.

— Хочешь я тебя поцелую? — произнес он с явным техасским выговором.

Ли дернулась в сторону.

— Нет! А теперь веди себя как полагается.

— Ладно, — вздохнул Чед. — Ради приличия мы отложим серьезные поцелуи до того момента, когда останемся одни. А как насчет несерьезных?

— Этим мы можем заняться. — Она замерла. Чед легко поцеловал ее в щеку. — А теперь давай смотреть фильм. О чем он, кстати?

Чед шепотом пересказал ей начало, пока не добрался до той сцены, что разыгрывалась на экране. Они досмотрели фильм до конца, хотя ни одному из них не было по-настоящему интересно. Когда с главной героини, сидевшей в роскошной кровати, соскользнула шелковая простыня, обнажая розовую грудь, Чед прошептал уголком рта:

— Не идет ни в какое сравнение вот с этим. — Его пальцы коснулись левой груди Ли и нежно погладили ее.

Она игриво шлепнула его по руке и сказала:

— Несносное создание! — Ли и Чед тихонько рассмеялись, вспомнив Донну.

Они вернулись в дом к Чеду, кипя от неутоленного желания. Джексоны были очарованы девочкой: Сара вела себя безупречно. Лоис освоилась на кухне у будущего зятя и приготовила на ужин протертый суп и холодные сандвичи.

— Передай мне соль, пожалуйста.

— Ли, ты ешь слишком много соли, — заметила мать. — Ты пристрастилась к соленому, пока ждала Сару.

— Слишком много соли вредно для беременной женщины, верно? — спросил Чед.

— А я думала, что ты специалист только по родовспоможению, — пошутила Ли. — Откуда ты все знаешь о беременных женщинах?

На какое-то мгновение Чед замер, его лицо стало бесстрастным. Потом он дернул плечом, словно прогоняя привидение, и ответил:

— Об этом все знают. — И Чед поспешно сменил тему разговора: — Эти сандвичи просто объедение, миссис Джексон. Спасибо.

В дальнейшем разговоре Ли уже не участвовала. Ее охватила непонятная тревога. Почему у Чеда так изменилось выражение лица, когда речь зашла о беременности?

Джексоны уехали сразу после того, как Лоис и Ли вместе перемыли всю посуду. Они с порога помахали родителям, рука Чеда уверенно лежала на плече Ли. Но женщина чувствовала, что между ними появился невидимый барьер, какое-то отчуждение, причину которого она не могла себе объяснить. Что же случилось, когда они вернулись домой, и как ей пробить брешь в этой внезапно возникшей броне?

Чед тоже чувствовал себя неуютно, когда они остались одни. Ли начала собирать вещи

Сары, чтобы ехать домой. Она старательно запихивала все в большую сумку, когда Чед опустился в кресло рядом с ней и взял ее руки в свои.

— Оставь это на минуту. Я хочу поговорить с тобой, перед тем как отвезу вас с Сарой домой.

Ли кивнула.

— Хорошо. — Она старалась, чтобы ее голос звучал спокойно. Но от страха сердце у нее замирало. Ей совсем не хотелось вести с ним этот разговор.

— Ли, — начал Чед, глядя в сторону. Потом он все-таки заставил себя взглянуть ей в глаза. — Шерон была беременна, когда... она умерла.

Ли задохнулась на мгновение, потом хотела что-то сказать, но остановила сама себя. Она долго смотрела на Чеда, не говоря ни слова. Когда она наконец смогла взять себя в руки, она еле слышно сказала:

— Я понимаю.

Ей захотелось отодвинуться от него, чтобы подумать спокойно. Ли встала и подошла к окну. Она смотрела на украшенную к Рождеству лужайку перед домом, но ее глаза ничего не видели.

Перед ее мысленным взором предстала Шерон, такая, какой ее описывал Чед. Хрупкое, беспокойное создание, знающее, что о ней есть кому позаботиться. И эта молодая женщина ждет ребенка. Чед уезжает на очередное задание, и Шерон остается одна. А потом она узнает, что Чед серьезно ранен и, вероятно, останется инвалидом. Какую боль, какое отчаяние должна была пережить эта женщина, чтобы не суметь справиться с собой и предпочесть смерть жизни? Ведь она обрекла на гибель и ребенка?! Ли вспомнила себя. Она тоже ждала ребенка, когда ей сообщили о гибели Грега. Ли тогда не знала, как унять захлестнувшую ее боль, страх, ужас потери. Ей на помощь пришла ее свекровь. Она страдала сама, но нашла в себе силы, нашла нужные слова, вернула Ли утраченное мужество... Правда, Ли никогда не приходила в голову мысль о самоубийстве. Она думала только о том, что Грег так и не увидит своего первенца.

Странное чувство возникло у Ли. Ей показалось, что между ней и Шерон возникла какая-то связь. Она тоже любила Чеда, пусть по-своему, но любила, волновалась о нем, ждала его возвращения... И Ли задумчиво повторила:

— Я понимаю.

— Не думаю, что ты понимаешь, — спокойно заметил Чед.

Да, она не понимала. Ли не понимала одного — как Шерон могла убить и себя, и ребенка. Горло ее сдавил спазм, во рту она ощутила какой-то металлический привкус. Ли вдруг стало холодно, она задрожала.

— Видишь ли, моя жена...

— Я не хочу ничего знать, — твердо проговорила Ли, поворачиваясь к Чеду. Она была напряжена, глаза смотрели холодно. Ей отчаянно не хотелось вспоминать о том, что она пережила сама, когда погиб ее муж. — Будь любезен, избавь меня от подробностей.

Чед мгновенно вскочил с дивана.

— Черт побери! С тобой просто не знаешь, как себя вести! Я только хотел рассказать тебе все сам, чтобы ты не узнала случайно, как в прошлый раз... Ты ведь именно этим была особенно недовольна?!

— Ну да, как я узнала обо всем. Ты это пытаешься сказать?

— Да. — Его голос звучал напряженно. — Я пытаюсь быть с тобой честным, Ли. Ты обвиняла меня в том, что у меня были от тебя секреты, и теперь я не хочу никаких тайн. Я мог избрать легкий путь — промолчать и надеяться, что ты никогда ничего об этом не узнаешь. Мало кто, кроме меня и моих родителей, знал, что Шерон ждала ребенка. Когда твоя жена кончает жизнь самоубийством, это уже достаточно плохо. Я не стал оповещать всех, что она убила и ребенка тоже.

Ли увидела глаза Чеда, почувствовала его боль, и ей стало стыдно. Она опустила голову и закрыла лицо руками.

— Прости меня, Чед, — сокрушенно проговорила Ли. Она позволила прошлому взять верх над собой и теперь сожалела об этом. — Я вела себя как дура. — Ей стало стыдно, что она так бестактно и зло среагировала на откровенность Чеда.

— Ты не сердишься на меня? Знаешь, столько всего пришло ко мне из твоего прошлого, что я уже боюсь — вдруг откроется что-нибудь еще... Если хочешь, расскажи, что же произошло?

— Мы не собирались какое-то время иметь детей. Мысли о беременности, родах, материнстве пугали Шерон. Но она была как ребенок, не могла отвечать за свои поступки и... — Чед обхватил голову руками. Ли так хотелось снова взъерошить густые пряди, отвлечь его от тяжелых воспоминаний, но она удержалась. — Когда Шерон узнала, что беременна, она запаниковала. Возможно, это и привело ее к самоубийству. Я не знаю. И теперь не узнаю уже никогда. — Чед умолк. — Может быть, если бы я был рядом с ней, я успокоил бы ее, как делал много раз...

— Ты был зол на нее? Я хочу сказать, потом, после ее смерти... Ты злился, что она украла у тебя ребенка?

Его синие глаза в упор посмотрели на нее.

— Откуда ты знаешь? Я был просто взбешен, я был в ярости! Я понимал, что должен оплакивать ее, но я не мог, настолько гнев и ярость переполняли меня.

И только теперь Ли решилась прикоснуться к нему.

— Я чувствовала то же самое, когда убили Грега. Я все время спрашивала себя, как он мог так поступить со мной, почему оставил меня одну?!

— Может быть, все так реагируют? Нечем гордиться, конечно, но это так по-человечески.

— Не знаю, по-дурацки это или по-человечески, называй как хочешь. Но я опять сейчас вернулась в прошлое, и мне стало так плохо! Обними меня покрепче, Чед. Я не хочу больше страдать, я так хочу быть счастливой!

Ли прижалась к Чеду, положила голову на его плечо.

— Чед, обними меня, пожалуйста, и люби меня.

— Ты можешь рассчитывать и на то, и на другое, — прошептал он ей на ухо.

10

Рождество выдалось суматошным и радостным. Чед заехал за Ли и Сарой, чтобы отвезти их на ранчо Диллонов. Поехали они в машине Ли, чтобы поместились все подарки, грудой сложенные на заднем сиденье. Родители Ли тоже были приглашены и обещали непременно приехать. Им по телефону рассказали, как доехать, так что все должны были встретиться уже на ранчо.

Амелия Диллон сбилась с ног, готовясь к этому дню. Антикварный буфет в столовой был уставлен блюдами с ореховым хлебом, пирогами с крохотными кусочками колбасы и сыра, множеством сортов печенья и другими деликатесами, чтобы гости могли полакомиться перед тем, как будет подана индейка. Слева были блюда с десертами. Чед не устоял перед искушением, и, пока ни его мать, ни Ли не видели, отрезал себе большой кусок кокосового торта, нарушив великолепие внушительной формы.

Приехали родители Ли. Они преувеличенно восхищались домом, любезностью хозяев, красиво украшенной елкой. Дом на ранчо произвел на Лоис не такое сильное впечатление, как дом Чеда, но она держалась с великодушным достоинством. Она тактично сделала вид, что не заметила хромоты мистера Диллона. Ли оценила выдержку матери, обычно ей несвойственную.

Ли нашла мистера Диллона в гостиной, где он сидел в одиночестве и растирал бедро.

— Стюарт, не надо было надевать протез, если вам это неудобно, — укоризненно сказала она. Мать и отец Чеда настаивали, чтобы Ли называла их по имени.

— Ты такая славная, Ли, — с чувством сказал старик, поднимая голову и глядя ей в глаза. — Не беспокойся об этом, дочка, — он указал на свою ногу. — Я уже почти привык.

Ли села рядом с ним.

— Давно это случилось?

— Около пяти лет назад. Я уже и сам собирался уйти в отставку, но, разумеется, мне было неприятно, что отставка оказалась вынужденной.

Ли посмотрела в сторону кухни, откуда доносился веселый смех, — все явно наслаждались ужимками Сары.

— Почему вы с Чедом выбрали именно эту работу? — Ли не могла говорить с Чедом о тушении нефтяных пожаров, хотя ей хотелось побольше узнать об этом. Это ей напоминало ситуацию, когда смотришь страшный фильм и не хочешь смотреть, и все-таки не можешь оторваться от экрана.

— Это ни с чем нельзя сравнить, Ли, — серьезно ответил Стюарт. В его голосе послышалось волнение. — Это вызов, который встречается на пути немногих мужчин. Сколько в стране бухгалтеров? Школьных учителей? Врачей, адвокатов и инженеров? И сколько нас? Наша профессия предполагает исключительность, понимаешь? Мне кажется, именно это вселяет в мужчину уверенность и самоуважение. Возможно, как раз за это я и любил свою работу, как Чед любит ее сейчас.

— Но вы ведь не могли не думать об опасности? Вам было страшно?

Стюарт помолчал немного. Ли казалось, что она видит, как перед его мысленным взором встают те пожары, которые ему приходилось тушить, и он словно по-новому оценивает каждый из них.

— Нет, не могу сказать, что мне хоть раз было страшно. Не пойми меня неправильно. Я всегда был осторожен. Нас специально учат, тренируют, чтобы мы были осторожными, никогда не делали ничего незапланированного, что не было бы согласовано с другими членами команды. Но когда ты оказываешься один на один с огнем, возникает ни с чем не сравнимое чувство, — с волнением произнес старший Диллон. Ли заметила, как его кулаки сжались в непроизвольном жесте. Этот жест был свойственен и Чеду. Теперь Стюарт говорил хриплым шепотом. — Огонь сильнее тебя. Он страшен, опасен, разрушителен. Ты оказываешься один на один с огнедышащим драконом. И ты побеждаешь его. Уничтожаешь. — Он глубоко вздохнул, но это был вздох наслаждения, в его глазах загорелись огоньки былого азарта. Ли сразу догадалась, что мистер Диллон снова вернулся в свою скучную гостиную: когда он повернулся к ней, в его глазах появилось унылое выражение.

— Мне всегда будет этого не хватать, — с грустью произнес он. — Да ты и сама видишь...

— Эй вы, двое, вы пропустили самое веселое. Сара только что... — Чед вошел в комнату и замолчал на полуслове. Ли вдруг ощутила, что по ее щекам текут слезы. — Что случилось?

— Ничего, сынок, ничего. — Стюарт поднялся с легкостью, которая удивила Ли. — Идем, дорогая. Мне помнится, ты хотела еще кусочек тыквенного пирога.

Он протянул руку, чтобы помочь молодой женщине встать с дивана, и подвел ее к Чеду, который стоял на пороге и внимательно смотрел на нее.

— Отрежь ей хорошенький кусочек, папа, и не забудь о взбитых сливках. Мне не нужна костлявая невеста.

Стюарт усмехнулся и отправился на кухню.

— Ли? — негромко обратился к ней Чед. Его лоб прорезала озабоченная морщина. — В чем дело? Ты плакала? Что-то произошло? Что сказал тебе отец? Вообще-то он...

Она взглянула в синие глаза, которые так любила, в это мужественное, дорогое лицо. «А Чед, пожалуй, похож на отца...» — подумала Ли и торопливо сказала:

— Нет-нет, ничего не случилось. Все хорошо! Просто я очень тебя люблю. — Ли обняла его и прижалась щекой к его груди.

Удастся ли ей смириться и без ненужных сцен отпускать его в такой ад? Пламя. Страшная сила. Огнедышащий дракон, как назвал это Стюарт. Где ей взять столько отваги? Она ведь всегда была такая трусиха!

Но с другой стороны, если она его любит, то как она может требовать от него невозможного? Если он с таким же азартом отвечает на брошенный природой вызов, как это делал Стюарт, как она может лишать его этого? Это его жизнь, его выбор. И она так же жизненно необходима для него, как борьба с наркотиками была важна для Грега. Она должна найти в себе силы и мужество, чтобы не лишать Чеда любимой работы, не превращать его жизнь в рутину.

— Любовь ко мне вызывает у тебя желание плакать? — с улыбкой спросил ее Чед.

Ли шмыгнула носом и смахнула с ресниц слезы.

— Я плачу потому, что стою с моим женихом под омелой, а он так и не додумался меня поцеловать.

— Каков нахал! — притворно-возмущенно воскликнул Чед и приблизил свои губы к ее губам.

После обильного и шумного обеда старшие мужчины отправились в гостиную смотреть футбол. Лоис и Амелия скрылись на кухне, чтобы обсуждать кулинарные рецепты и появление на свет будущих внуков. Ли и Чед поднялись наверх, чтобы уложить Сару спать.

Малышку снова уложили в бывшей комнате Чеда. Как только она уснула, Чед повернулся к Ли, раскрыв объятия.

— Женщина, как я смогу прожить без тебя целую неделю? — спросил он, распуская ее волосы, собранные ради торжественного случая в высокую прическу, украшенную заколкой из слоновой кости. — Давай поиграем в доктора?

— Нет, твоя мама может подняться наверх и посмотреть, чем мы тут занимаемся.

— Именно так и ответила первая девочка, которой я предложил поиграть в доктора.

Ли отпрянула и осуждающе посмотрела на него.

— И кто же это был? И сколько лет прошло с тех пор?

— Лет двадцать пять, не меньше. Малышку звали Марджори Клейтон. Она жила по соседству. Она пришла ко мне поиграть, и я предложил играть в больницу. Я собирался быть тогда врачом, — с лукавой улыбкой добавил Чед.

— Ну конечно! Так я тебе и поверила!

— Увы, она не согласилась, — вздохнул Чед. — Что и определило мой дальнейший выбор.

— Неужели ты и в самом деле считаешь, что я тебе поверю? Женщины бросаются на тебя, как мухи на мед. Какая-то Хелен со своей подругой Донной, официантка Сью, целая когорта дам из загородного клуба во главе с женой неизвестного мне Буббы... Мне не хватит пальцев на руках и ногах, чтобы перечислить их всех! Я ужасно ревнива, Чед, я серьезно говорю, имей это в виду. Я не позволю всем этим особам охотиться на моей территории.

— Тебе и не придется этого делать. Ты единственная женщина, которую я хочу. — Чед взял Ли за руку и подвел к письменному столу, стоявшему в углу комнаты. Он сел в кресло, а ее усадил к себе на колени. — Ты сегодня невероятно красива, моя будущая жена, — он поцеловал уголки ее губ.

— Тебе нравится мое платье?

— Очень, — ответил Чед, даже не взглянув на наряд из красного плотного шелка, с длинными пышными рукавами, белым воротником и черным атласным бантом. — Как бы мне под него пробраться? — поинтересовался он, нашаривая перламутровые пуговицы на спине. — Если у меня это получится, твое платье понравится мне еще больше.

— Ты неисправим!

— Неужели ты думаешь, что этим словом можно описать мое состояние? Я знаю куда более красочное.

— Чед!

Его рука легла ей на затылок, и он привлек Ли к себе, чтобы поцеловать. Она без колебаний обвила его шею руками. Его рот сохранил вкус вина, которым миссис Диллон угощала гостей за обедом, и Ли с удовольствием ощутила этот вкус снова на губах Чеда.

— Черт побери! — выругался Чед. Крохотные пуговки не желали сдаваться, и он с досадой отстранился от Ли. — Мне не удастся освободить тебя от этой кольчуги, так?

— Это довольно сложная задача, боюсь, она тебе не по силам.

Чед состроил зверскую гримасу и угрожающе зарычал.

— Тогда мне придется довольствоваться воспоминаниями. У тебя еще осталось то детское масло?

— Тс-с, — зашипела на него Ли и смущенно оглянулась на дверь.

Он рассмеялся.

— На ком я женюсь, на тайной извращенке? Разве не ты сама занималась этим при свете дня?

— Я не извращенка! — возмущенно запротестовала Ли. — Это был лечебный массаж. Ты сам сказал, что у тебя напряжены мышцы на плечах.

— К тому моменту, когда ты проявила чудеса сноровки, не говоря уж о чудодейственном масле, у меня были напряжены не только плечи.

Ли погрозила ему кулачком.

— Ты просто ужасен и невыносим!

— Но ты все равно меня любишь. — Чед схватил ее за руки и прижал их к груди. — Правда? — теперь он говорил серьезно.

— Да.

Их поцелуй стал печатью, скрепившей ее слова.

— Я давно хотела тебя кое о чем спросить, — оторвавшись от его губ, сказала Ли. Ее голова лежала на плече у Чеда, а тот задумчиво играл ее атласным бантом.

— Давай, спрашивай.

— В тот день, когда родилась Сара, ты ведь решил, что у меня никогда не было никакого мужа, правда?

— Да, — откровенно признался Чед.

— Но в твоих глазах я не увидела ни осуждения, ни презрения.

— Я все равно любил тебя, Ли. Мне было безразлично, что происходило с тобой раньше, что ты делала, чем занималась. Твое прошлое не имело для меня значения. Я полюбил тебя в ту самую секунду, когда открыл дверцу твоей машины и увидел твои глаза. Я мог простить тебе все, что угодно.

— О, Чед! — выдохнула Ли. Прозрачная слезинка повисла на ее ресницах.

— Эй, хватит, малышка! Если я отдам тебе твой рождественский подарок сейчас, ты перестанешь плакать?

— Мой рождественский подарок? Сейчас? — Ли оживилась.

— Но он не завернут. Я специально носил его с собой весь день, ожидая удобного случая. Мне кажется, сейчас самое время преподнести его тебе. — Чед вынул из кармана небольшой конвертик. Он внимательно смотрел, как Ли аккуратно поддевает ногтем бумагу и достает оттуда два тонких золотых кольца, усыпанных сапфирами.

— Это дополнение к обручальному кольцу. Между ними будет широкое кольцо из белого золота. Но тебе придется подождать неделю, прежде чем ты сможешь их надеть. Тебе нравится?

— Какие красивые! — прошептала Ли. — У сапфиров цвет твоих глаз.

— А я думал, что они под цвет твоих.

— Нет-нет, — Ли протестующе покачала головой. У нее на глаза снова навернулись слезы, и камни заиграли всеми цветами радуги. — Твоих. И не спорь со мной!

Чед надел ей кольца на безымянный палец левой руки. Они оказались точно по размеру. Ли вопросительно взглянула на него.

— Я просто угадал. — Он смиренно пожал плечами, отвечая на ее немой вопрос.

— Ты просто чудо! Не могу дождаться, когда надену еще одно кольцо.

— Я не знал, какое кольцо у тебя было раньше. Я надеялся, что сапфиры тебе понравятся. Если ты хочешь что-нибудь другое, например, бриллиант...

— Нет! У меня было обручальное кольцо с несколькими бриллиантами. Мне пришлось его снять, когда во время беременности у меня начали отекать руки. Я никогда его больше не надевала. Но эти кольца... Они от тебя. Это...

Ей не хватило слов, и она просто поцеловала Чеда. Его язык проскользнул между ее зубов, лаская ее рот. Ли отвечала ему, пока не почувствовала его возбуждение.

Она медленно, неторопливо встала, подошла к двери и закрыла ее на крючок. Ли повернулась к Чеду лицом, сбросила туфли, расстегнула пуговицы на длинных рукавах. Потом настал черед широкого кожаного пояса на талии.

— Знаешь, чем я хочу заняться? — голосом искусительницы поинтересовалась она.

— Чем? — хрипло спросил Чед.

— Я намерена поиграть в доктора.

Он сидел не шевелясь, словно прирос к стулу, пока Ли расстегивала пуговицы на спине. Одним движением она скинула платье с плеч и выступила из него, как Афродита из морской пены. Ли положила платье в ногах широкой кровати. Красная шелковая комбинация мягко обрисовывала все соблазнительные округлости ее тела. У Чеда расширились глаза, он шумно вздохнул, и Ли поняла, насколько велико его нетерпение.

Улыбаясь, она подняла кружевной край комбинации достаточно высоко, чтобы отстегнуть один чулок.

— Не может быть! — рассмеялся Чед.

— Счастливого Рождества тебе, любимый!

Она сняла чулки с длинных красивых ног и бросила их на кровать поверх платья. За ними последовал кусочек кружев, игравший роль трусиков. Последним был изящный пояс.

Ли стояла перед Чедом в одной красной комбинации. Словно вторая кожа, нежный шелк облегал ее пышную грудь и ниспадал складками чуть ниже колена. Скрывая ее плоть, он подчеркивал все изгибы и выпуклости. Ее соски манили Чеда сквозь красное кружево, призывая его выйти из эротического транса, в который его ввергла Ли.

Он встал и начал снимать с себя одежду так же неторопливо, как это делала она. Когда на нем не осталось ничего, кроме узких трусов, их ткань уже не могла скрыть силу его желания. Потом и они полетели прочь, и Чед подошел к Ли, как Адам, впервые представший перед Евой.

— Я сгораю от любви к тебе, Ли, — еле слышно сказал он, протягивая к ней задрожавшие вдруг руки.

Она тоже затрепетала от его прикосновения. Его пальцы ласкали ее тело поверх шелка неторопливыми, медленными движениями. Чед посмотрел ей в глаза и привлек к себе.

Он опустил голову и поцеловал ее полные округлые груди сквозь прикрывавшие их кружева. Чед осторожно опустил одну за другой бретельки комбинации с ее плеч, ее груди вырвались на свободу, и его ищущие губы припали к напряженным соскам.

— О боже! Ты слаще спелого яблока... О такой женщине мечтает мужчина! — простонал Чед, скользя ладонями по стройному гладкому телу Ли.

Они одновременно опустились на ковер. Чед положил Ли на спину. Его рука скользнула под нежный шелк. Он гладил ее ноги, поднимаясь все выше, пока не коснулся самого сокровенного места.

— Моя дорогая Ли, — прошептал Чед, его пальцы погрузились в ее влажное лоно, лаская и возбуждая. Когда она попросила о пощаде, он вошел в нее уверенным мощным движением.

— Посмотри на меня! — прошептал Чед. Его синие глаза потемнели, волосы растрепались, на скулах алел жаркий румянец. Они не сводили с друг друга глаз, и когда наступила разрядка и его семя устремилось в ее лоно, то они продолжали улыбаться друг другу. Теперь это была улыбка благодарности.

Как только Ли, Чед и Сара спустились вниз, все обменялись рождественскими подарками. Лоис надулась, когда увидела, что Чед уже отдал подарок Ли, не дав возможности остальным насладиться ее удивлением. Но она смягчилась, когда Ли открыла изящно завернутую коробку, предназначенную, по словам Чеда, для Сары, и достала оттуда шубку из рыси.

Ли радостно вскрикнула и тут же надела на себя роскошный мех. Чед был в восторге от своей хитрости.

— Я думаю, Сара не будет возражать, если ты ее пока поносишь, — весело заметил Чед. И Ли, к удовольствию Диллонов и приведя в смущение собственных родителей, бросилась ему на шею и расцеловала.

Сара получила музыкальную шкатулку, маленькую модель «Кадиллака» вместо велосипеда и огромного белого медведя. Что ж, огромному тигру, до этих пор единственному хозяину детской, придется потесниться.

Когда Чед развернул предназначенный для него пакет и вынул оттуда фотографию Ли и Сары в серебряной рамке, глаза его как-то странно заблестели. Он так крепко обнял обеих, что Сара обиженно заплакала.

Ее вызволила бабушка Диллон. А когда Чед целовал Ли, у Амелии на глаза навернулись слезы.

Лоис получила в подарок изящную фарфоровую статуэтку от Чеда и Ли, а для Харви они приготовили набор клюшек для гольфа. Своему будущему свекру Ли подарила великолепный кожаный ремень, мечту настоящего ковбоя. Но чтобы оценить подарок, которым решил порадовать отца Чед, всем пришлось ненадолго выйти во двор. У гаража стоял новенький трактор, и Стюарт решил немедленно его опробовать. К счастью, Амелии удалось его отговорить. Миссис Диллон оценила книгу старинных рецептов, приготовленную ей в подарок Ли, и новый кухонный комбайн, подаренный Чедом.

Индейка удалась на славу, и они засиделись допоздна, обсуждая предстоящую свадьбу.

Неделя между Рождеством и Новым годом оказалась просто сумасшедшей. Хлопот оказалось предостаточно. Чед и Ли постепенно перевозили вещи Ли в дом Чеда, хотя и решили, что пока не будут продавать уютный домик.

Ли выбирала себе платье к свадьбе, а это оказалось совсем непросто. Молодой женщине хотелось, чтобы оно было одновременно и нарядным и достаточно простым. Все-таки это ее второй брак, гостей будет немного, да и свадьба состоится в доме Диллонов.

Уже перед самым Новым годом Чед помахал у Ли перед носом билетами на самолет, а когда ей удалось все-таки добраться до них, выяснилось, что медовый месяц они проведут в Канкуне.

— Две замечательных недели на солнце, мы будем бегать голыми по белому песку...

— И прибежим прямо в тюрьму, — со смехом прервала его мечтания Ли.

— Они нас не поймают. Мы будем бегать по ночам.

— Надеюсь, по ночам мы будем не только бегать? А где будет Сара все это время, пока мы голышом будем скакать по пляжу?

— У бабушки и дедушки Диллон. Они ради нее перевернули все вверх дном. Или это все из-за свадьбы? Не знаю. Там просто сумасшедший дом.

— Чед, а ты уверен, что твоя мать и в самом деле хочет этим заниматься? Моя мама с удовольствием взяла бы все хлопоты на себя. — На самом деле, Лоис просто в штыки приняла известие о том, что свадьба и прием пройдут в доме у Диллонов.

— Маме это нравится. И потом, я пообещал твоей матери, что она сможет устроить для нас прием после нашего возвращения из Канкуна.

— Ты прирожденный дипломат! — Звонкий поцелуй в щеку стал Чеду наградой. «Неужели ему все-таки удастся приручить мою мать?» — с тайной надеждой подумала Ли.

День первого января выдался ясным и холодным. Ли проснулась свежей и хорошо отдохнувшей. Они с Чедом заранее решили, что тридцать первого декабря спокойно поужинают у нее дома, после чего Чед ушел, ворча по поводу того, что пить шампанское в полночь ему придется в полном одиночестве у себя дома.

Все утро Ли собирала вещи, приводила себя в порядок, делала прическу, старалась не забыть ничего, что может понадобиться Саре во время ее пребывания на ранчо. В полдень приехали родители Ли, чтобы отвезти ее в дом Диллонов. На Ли были джинсы и свитер. На голове красовались бигуди, и похожа она была на кого угодно, только не на счастливую невесту.

— Ли, ну что же ты, в самом деле? — с упреком сказала ей мать.

— Я закончу одеваться там, мама. Не волнуйся. К четырем часам гусеница превратится в прекрасную бабочку.

Так и произошло. Белоснежный костюм из крепа с льдисто-голубой блузкой, который в конце концов купила Ли, стал прекрасным нарядом для второго бракосочетания, проходившего дома. Молодая женщина собрала волосы в низкий пучок на затылке, выпустив несколько игривых вьющихся прядей. Единственным украшением невесты, кроме колец с сапфирами, были крошечные серьги с жемчугом. Ли выглядела великолепно.

Ли ужасно нервничала. И это удивило ее саму. Она не припоминала, чтобы перед свадьбой с Грегом она пребывала в таком состоянии. Она тогда была девственницей, но первую брачную ночь ждала с меньшим нетерпением, чем медовый месяц с Чедом.

В последние несколько недель Ли не один раз спрашивала себя, почему она спала с Чедом до свадьбы. Ее взгляды не изменились. Она по-прежнему не принимала секса без любви и вне брака. Ее саму шокировало сознание того, насколько быстро она уступила Чеду и своему собственному желанию. Куда делись ее угрызения совести?

Может быть, так случилось потому, что рождение Сары невероятно сблизило их? Они оказались в такой пикантной ситуации, хотя не были даже знакомы. Или, возможно, Ли слишком часто горевала о том, что могла бы дать Грегу больше любви и ласки. И не желала тратить время впустую с Чедом. Минуты любви бесценны. Ли узнала это на собственном, весьма горьком опыте. И она ничуть не сожалела об упоительных часах близости с Чедом.

Но близость эта нисколько не уменьшила ее желания. Их страсть разгоралась все больше и больше. Слова священника, которые он произнесет в присутствии свидетелей, только сделают законными те обеты, которые они уже дали друг другу. Ли знала, что они принадлежат друг другу навсегда.

Тогда почему она так нервничает? Откуда это странное, необъяснимое предчувствие беды? Ли не испытывала подобного страха с того вечера, когда она в последний, как оказалось, раз умоляла Грега не уходить...

— Господи, нет, — Ли закрыла глаза, пытаясь отогнать тревожные мысли. Букет гардений, присланный Чедом, задрожал в ее руках.

— Ты что-то сказала, дорогая? — спросила ее мать.

Прогоняя дурные предчувствия, Ли ответила:

— Нет, я просто волнуюсь о том, как будет вести себя Сара во время службы.

Спустя несколько минут она уже дала руку отцу, поджидавшему ее у украшенной гирляндами цветов лестницы. Он ввел ее в гостиную, где гости — со многими из присутствующих Ли познакомилась на той вечеринке в амбаре, на которую возил ее Чед, — собрались вокруг увитой цветами и зеленью арки. Чед ждал ее, стоя рядом со священником.

У Ли сильнее забилось сердце, все ее страхи развеялись при одном взгляде на него. Чед был одет в темно-синий костюм-тройку, который дополнял широкий галстук в синюю и серую полоску. В высокие окна, украшенные корзинами с цветами, заглядывало яркое солнце, играя на блестящих волосах Чеда. Ли показалось, что Чед ласкает ее своим взглядом. Он излучал силу и уверенность. Разве можно чего-нибудь бояться, если ее мужем станет Чед Диллон?

Они дали друг другу клятву спокойно, уверенно. Сара вела себя тихо до того момента, когда они обменялись кольцами. Как только Ли надела золотое кольцо на палец Чеду, она передала свой букет невесты матери, чтобы та отдала его малышке. Так Сару включили в церемонию бракосочетания. Жених поцеловал невесту, а потом и свою новообретенную дочку. Все зааплодировали.

На один день Амелия уступила свою кухню посторонним. Поставщик доставил великолепные закуски и пунш. Так как миссис

Диллон не одобряла крепких напитков, гостям подавали только шампанское, чтобы выпить за здоровье молодоженов.

Чед проглотил семь корзиночек с салатом из крабов, горсть соленых орешков, три сандвича с огурцом и два куска свадебного торта. Ли заметила, что и о Саре он тоже не забывает. Девочка важно восседала на плечах своего обретенного папы, который с гордостью представлял ее всем гостям.

— Ты еще красивее, когда не одета, — словно змей-искуситель, прошептал Чед ей на ухо. И она тут же почувствовала прикосновение его губ к своей шее.

— У нас гости, — она улыбалась священнику, наблюдавшему за ними через комнату. — Веди себя пристойно.

— Даю тебе пятнадцать минут, и мы уедем. Поцелуй всех, кого требуется, возьми то, что требуется, попудри носик или сделай то, что необходимо, в ванной, а потом, если понадобится, я за волосы вытащу тебя отсюда.

Священник отвернулся, Ли звучно поцеловала Чеда и ответила:

— Слушаюсь, сэр.

Она поцеловала Сару. Ли не хотелось расставаться с дочкой. Чед спустился вниз с последним чемоданом и бросил на нее внимательный взгляд. Ли знала, что Чед понимает, насколько болезненна для нее первая разлука с дочкой. Он постарался успокоить ее:

— Ли, мы вернемся через десять дней. И потом, ты сможешь звонить каждый день.

— Не думайте, что я боюсь, что вы не сумеете о ней позаботиться, — поспешила Ли успокоить Амелию, принявшую у нее из рук девочку.

— Она глаз не спустит с ребенка, — вмешался в разговор Стюарт. — О, простите меня, — хромая, он отправился к зазвонившему телефону.

— Стюарт хотел сказать, что девочка будет все время под моим присмотром, — продолжала Амелия. — Ни на одну минуту я не оставлю ее одну.

— Я знаю, что так и будет, — улыбнулась Ли. Но ее улыбка тут же погасла, когда она увидела выражение лица вернувшегося свекра.

Он избегал ее взгляда, а обратился прямо к сыну:

— Чед, тебя к телефону.

— Папа, ты бы просто передал мне сообщение, и все.

— Это Грейсон.

Это имя было магическим. Толпа гостей расступилась, все притихли. Многие торопливо вернулись в гостиную, освободив холл, где собирались прощаться с новобрачными. Веселые разговоры, взрывы смеха сменились еле слышным жужжанием, приличествующим похоронам, а не свадьбе.

Сара водила пальчиками по побелевшей, как полотно, щеке матери.

— Чед... — позвала его Ли.

— Я не подойду к телефону, папа. Грейсон знает, что у меня сегодня свадьба. Или он собирается просто пожелать мне счастья?

Стюарт опустил глаза.

— Тебе лучше самому поговорить с ним.

Чед обернулся к Ли и сжал ее локоть.

— Я сейчас вернусь, — с улыбкой пообещал он, но Ли это не обмануло. Глаза Чеда были серьезны.

Ли стояла в холле, словно приросла к полу, глядя вслед высокой фигуре мужа, который скрылся в кабинете Стюарта. Она не сводила глаз с закрывшейся за Чедом двери. И, словно повинуясь ее беззвучному зову, ее муж появился на пороге.

— Ли, — позвал он ее.

Ей казалось, что у нее отказали ноги, что она не сможет сделать ни шагу. Но каким-то чудом ей удалось пройти через холл в кабинет Стюарта. Чед стоял у окна, повернувшись к ней спиной. Он снял пиджак и теперь развязывал узел галстука. Машинально Ли закрыла за собой дверь. Щелчок замка вырвал Чеда из задумчивости, но он еще долго смотрел в окно. И только потом повернулся к ней.

Ли все поняла.

— Нет! — крикнула она и стукнула кулачком по резной панели, закрывавшей стену. — Нет!

— Прости меня, детка. — Чед потер лицо ладонями. — Я ничего не могу сделать. Я должен ехать.

— Ты не поедешь, ты не можешь. Ты не сделаешь этого.

— При нормальном положении вещей я бы не поехал, но обстоятельства требуют моего присутствия. Горит нефтехранилище в Венесуэле. Парень, который должен был ехать вместо меня, вчера вечером сломал ногу, упав с мотоцикла. Он лежит на вытяжении в больнице в Далласе. Я не могу не поехать, Ли. Грейсон приносит свои извинения. Он сказал, что ни за что бы не позвонил, если бы...

— И что, от его извинений я должна почувствовать себя лучше? Он заставляет тебя бросить меня именно сейчас, срывает нам медовый месяц и полагает, что достаточно просто извиниться? Неужели его извинения что-то меняют?

Чед в отчаянии вздохнул.

— Нет, черт возьми. Я просто хочу, чтобы ты поняла — с этим ничего нельзя сделать. В этом нет ничьей вины. У меня нет выбора.

Ли сделала два быстрых шага ему навстречу.

— Ты как-то говорил мне, Чед, что выбор есть всегда. Во-первых, ты мог бы отказаться ехать. Во-вторых...

Чед покачал головой, хотя Ли еще не успела договорить.

— Я не могу так поступить, Ли. Ты же знаешь, что не могу.

— Ты бы мог, если бы любил меня.

С его губ сорвалось ругательство. Ли понимала, что ведет себя неразумно, но в этот момент она не слышала доводов разума. Разве не позволительно молодой жене закатить истерику, если ее молодого мужа срывают с места, не дают им провести вместе медовый месяц, посылают в настоящий ад? Неужели у нее нет права проклинать свою несчастную судьбу? Да, она пообещала самой себе, что постарается привыкнуть к его опасной работе. Но не в день же свадьбы!

— Это не имеет никакого отношения к тому, насколько сильно я люблю тебя, Ли. Я уверен, что ты это понимаешь. Я должен исполнять свой долг...

— Будь проклят этот долг. Вот где он у меня сидит! — Ли резко провела ладонью по шее. — Сначала об этом твердил Грег, теперь ты. Неужели мужчины только об этом и могут думать? Долг, обязанности, ответственность! Господи, да у тебя же есть обязательства и передо мной! Всего два часа назад ты сказал об этом перед священником.

— Ли, прошу тебя, выслушай меня, — взмолился Чед. — Я люблю тебя, я уезжаю неизвестно на сколько и не хочу, чтобы эта обида оставалась между нами. Прошу тебя, пойми меня.

Ли чувствовала, что ее сердце разбито. Она понимала, что все уговоры напрасны, но не могла остановиться:

— Докажи мне, что ты любишь меня. Останься со мной. Не уезжай.

— Ты просишь слишком много, — ответил ей Чед. — Не проси у меня того, что я не могу тебе дать. — Он сделал шаг навстречу ей. — Ничего не бойся. Я буду знать, что ты ждешь меня, и со мной ничего не случится.

Эти слова эхом отдались в ее голове. Эхом прошлого. Эти слова... Их так легко произнести, но в них нет ни капли правды, они так ненадежны. Ли побледнела и отбросила его протянутые руки.

— Нет, — в ее голосе появились визгливые нотки. — Нет, Чед. Если ты уедешь, ждать я тебя не стану. Я не собираюсь тратить мою жизнь на то, чтобы провожать тебя в преисподнюю, прикрываясь при этом улыбочками и банальностями типа: «Я не позволю тебе умереть вдали от меня». Я не стану этого делать!

Суровые складки вокруг губ Чеда обозначились резче. Теплый свет его глаз стал холодным, словно задули свечу. Перед ней стоял совсем другой человек — суровый, непреклонный, решительный. Таким Ли еще никогда не видела Чеда. У двери оп задержался и нанес ей последний удар:

— Спасибо за слова любви на прощание. Они мне здорово помогут.

Чед с грохотом захлопнул за собой дверь.

11

Именно ее отец зашел в кабинет час спустя. Благодарение богу, все отнеслись к случившемуся с пониманием, оставили Ли в одиночестве и дали ей возможность выплакаться без свидетелей.

Харви Джексон осторожно приоткрыл дверь в комнату, но, увидев, что дочь сидит в кожаном кресле, уронив голову на скрещенные руки, твердой походкой вошел в кабинет.

— Хватит, дорогая. Собирайся, давай мы с мамой отвезем тебя домой, — он ласково дотронулся до ее плеча.

Ли подняла на него покрасневшие, опухшие от слез глаза:

— Гости уже разъехались?

— Да.

Ли громко вздохнула, вытерла щеки, по которым растеклась тушь, и отец, придерживая ее за локоть, помог ей встать. Харви вывел ее из кабинета, Ли еле держалась на ногах, словно выпила лишнего. Лоис и родители Чеда ждали ее в холле. Амелия подошла к Ли и нежно обняла ее.

— Почему бы тебе с Сарой не пожить у нас, пока Чед не вернется? Ты бы доставила нам такую радость. Мне становится не по себе при мысли о том, что ты будешь совсем одна в огромном доме.

— А я думаю, что ей следует поехать в Биг-Спринг вместе с нами, — вмешалась Лоис. — Они с Сарой давным-давно не гостили у нас.

Амелия посмотрела на миссис Джексон так, словно собиралась ей возразить, но Стюарт выразительно пожал ей руку, призывая к молчанию. Он заговорил сам:

— Ли, если мы тебе понадобимся, ты найдешь нас здесь в любое время.

У нее из глаз снова хлынули слезы, которые, казалось, она уже выплакала без остатка. Ли еле слышно произнесла:

— Спасибо вам за все. Свадьба получилась такая красивая.

Лоис держала внучку на руках во время этого разговора, и Ли позволила ей отнести ребенка в «Бьюик». Отец набросил Ли на плечи шубу из рыси и повел ее следом за Лоис. Ли не приходилось торопить. Ей самой не терпелось поскорее уехать из дома Диллонов. Напоминание о свадьбе и приеме стало ей невыносимо. Она избегала смотреть на роскошный свадебный торт, от которого оставалось теперь всего лишь несколько кусочков. Свечи почти погасли — зажженные в честь торжества любви, они почернели и начали коптить. Цветы напоминали ей о похоронах Грега. Ли вышла на крыльцо и глотнула свежего морозного воздуха. Казалось, все прекрасное в этом мире начало портиться, и она вдруг ощутила запах разложения. Ли вздрогнула и быстро села в машину.

Лоис выжидала. Она молчала, выбирая удобный момент, чтобы прямо высказать дочери все, что она думает о таком повороте событий. Как только Ли уселась на заднем сиденье, мать передала ей Сару. Машина отъехала от дома, и тут уже Лоис не мог удержать никто.

— Я хотела предупредить тебя о такой возможности, но твой отец велел мне молчать и заниматься своими делами.

— Я и теперь тебе это повторю, Лоис. Не лезь не в свое дело. Помолчи, — сурово приказал Харви.

— Не стану я молчать. Особенно теперь. Разве я не говорила тебе, что наша дочь совершает ужасную ошибку? Разве я не предупреждала, что она попадет в точно такую же ситуацию, которая сложилась у нее в браке с Грегом? Мы умоляли ее переехать к нам после его смерти, но где там! Она решила жить одна. Ей хватило ума только на то, чтобы родить ребенка в кузове какого-то грязного грузовика. И вот посмотри, до чего она докатилась. Наша Ли никогда ничему не научится. Она не желает меня слушать.

— Это ее дело, в конце концов, она давно уже взрослая!

Ли не вмешивалась в разговор родителей, давая им возможность переругиваться без помех. Ее не обижало то, что они говорят о ней так, словно ее не было рядом. Она именно так себя и чувствовала. Ее мысли витали далеко. Она вспоминала пустынное шоссе, где ей было совсем не место в последние недели беременности.

И ведь Чед сказал ей об этом. Он помогал ей, но при этом отчитывал за такое безрассудство. «Вы самая храбрая женщина, которую мне довелось встречать». Тогда он именно так и сказал ей, сияя белозубой улыбкой на загорелом лице. Небритый. Синеглазый. И в его глазах плясали смешинки. В них светилось сочувствие. А потом он повязал вокруг головы эту дурацкую бандану и стал похож на воскресшего апача. Густые черные волосы падали ему на плечи. С тех пор Чед ни разу больше не надевал бандану. Ей следовало сказать ему, как он ей нравится в таком виде. Возможно, когда-нибудь, когда они будут играть в теннис или...

Но этого «когда-нибудь» может не быть никогда. Господи, что же она наделала?

На пустынном шоссе в тот августовский день, раздираемая болью, мучимая страхом, Ли поверила ему. Она доверила свою жизнь незнакомцу. Почему же теперь, став его женой, Ли отказала Чеду в доверии? Она уже знала, что он за человек, как сильно она любит его, так почему же она позволила обиде и страху взять верх? Разве любовь не сильнее страха?

«Вы самая храбрая женщина из всех, кого мне доводилось встречать. Ваш муж будет гордиться вами».

Нет, ее муж не мог ею гордиться. Как Чед мог гордиться женой, отпустившей его на опасное задание без единого ласкового слова, не поцеловав его, не обняв на прощание? Разве он поверит теперь, что Ли любит его той беззаветной, жертвенной любовью, не знающей эгоизма, на которой только и держится настоящий брак, когда оба супруга верны данным ими обетам быть вместе в горе и радости. А если он так и не узнает, насколько сильно она его любит? Вдруг с ним что-нибудь случится, и он никогда...

— Поворачивай обратно, па, — вдруг сказала она отцу.

Монотонный монолог Лоис, нудно бубнившей о безрассудности Ли, немедленно прервался. Она повернулась к дочери:

— Что?

Не обращая внимания на изумленный взгляд матери, Ли повторила:

— Па, прошу тебя, поворачивай обратно. Я возвращаюсь.

— И не вздумай даже, Харви, она не понимает, что говорит! — воскликнула Лоис.

— Или поворачивай обратно, или выпусти меня. Я пойду с Сарой пешком, если так будет нужно. Я останусь с родителями Чеда, пока он не вернется.

— Харви, не смей! — стояла на своем Лоис. Но мистер Джексон развернул машину, доказывая жене, что он смеет поступать так, как считает нужным, и его жена снова повернулась к дочери: — Ли, ну зачем ты возвращаешься? Ты будешь с ним несчастна всю свою жизнь!

— Я чувствую себя куда более несчастной без него. Верно, Сара? — обратилась молодая женщина к дочери, и на лице малышки появилась робкая, но, как показалось Ли, одобрительная улыбка. — Без него мы будем несчастными и одинокими, правда?

— Тогда я просто умываю руки, — заявила Лоис. — И никогда не жди от меня...

— От тебя никто ничего не ждет, Лоис. Закрой рот, — отповедь Харви прозвучала неожиданно резко.

Лоис метнула на мужа изумленно-яростный взгляд и проглотила готовые сорваться с языка слова. Потом она гневно взглянула на дочь, но та встретила ее взгляд с упрямым спокойствием. Лоис пришлось отвернуться. Наконец она выпрямилась на сиденье, глядя перед собой с видом оскорбленной добродетели.

— Спасибо, па, — поблагодарила Ли, выбираясь из машины, остановившейся у дома Диллонов.

Харви Джексон достал ее чемоданы из багажника и донес их до двери.

— Ли, в горе и в радости Чед остается твоим мужем. Ты правильно поступаешь, девочка моя. Можешь на меня рассчитывать!

— Да, я знаю, — она поцеловала отца в щеку. Наклонившись к дверце, Ли попрощалась с матерью: — До свидания, мама, — но ответа не получила, да она его и не ждала. Ее мать теперь долго будет дуться. Лоис нелегко прощала неповиновение.

Ли помахала родителям на прощание и повернулась к дому. Диллоны уже ждали ее на крыльце. Амелия широко улыбалась. Она подошла к невестке и взяла у нее Сару. Стюарт извинился, что не может помочь с чемоданами. Он уже отстегнул протез и теперь опирался на костыль. Ли торопливо вошла в дом.

Несмотря на протесты Амелии, Ли помогла убрать то, что не успела убрать приглашенная прислуга.

— Я велела им всем — поставщику, флористу, всем — приехать завтра, — сказала Амелия. — Они все поняли, потому что Чеду пришлось внезапно уехать.

Они мыли стаканы для пунша на кухне. Стюарт смотрел очередной футбольный матч, Сара прыгала у нсго на колснях.

— Я предала Чеда, Амелия, — спокойно сказала Ли. — Когда он больше всего нуждался в моей поддержке, я не стала его поддерживать. Боюсь, что я его разочаровала.

— Он все понимает и любит тебя, Ли. Что ж, ты погорячилась, детка, но тебя тоже можно понять. Он знает, что ты его любишь.

Ли так хотелось в это поверить. Она с тревогой взглянула на свою свекровь.

— Вы правда так думаете?

Амелия похлопала ее по руке.

— Я нс думаю, я знаю. Я пе собираюсь быть назойливой свекровью и совать свой нос куда не просят, но если тебе захочется поговорить, я умею хорошо слушать.

Ли нашла в себе мужество, но оно подверглось серьезному испытанию, когда в новостях стали рассказывать о пожаре в Венесуэле. Там был настоящий ад. Сгорело столько нефти, что пожар стал первоочередной новостью на всех каналах.

К счастью, Ли смогла занять себя работой в торговом комплексе. Надо было снять рождественские украшения и проследить за тем, чтобы их сложили и упаковали как следует. Человек, которого она наняла на свое место на период медового месяца, уехал из города второго января. Прибыли горшки с цветами, которые должны были заменить отцветшую пуансеттию, и их необходимо было пересадить в вазоны и расставить по всему торговому комплексу.

Жители «Сэддл Клаб Эстейт» сами должны были снять украшения и убрать их. Ли наняла двоих студентов, чтобы они помогли ей с этим в доме Чеда. Она показала место в гараже, куда следует все сложить. Ли ждала, чтобы студенты закончили работу, и стояла возле верного пикапа, поглаживая облупившуюся краску, вспоминая.

По вечерам становилось особенно тяжело. Амелия наслаждалась тем, что ей приходится присматривать за Сарой в течение дня, хотя Ли предложила отвозить девочку в город к миссис Янг, пока она на работе. Но это предложение было встречено бурей протестов. Стюарта, казалось, совершенно не раздражает появление еще двух женщин под его крышей, тем более что на управлении скотоводческим ранчо это никак не сказывалось.

Из Нью-Мексико налетела снежная буря, температура упала, земля скрылась под толстым слоем снега, и кормить огромное стадо стало труднее. Жизнь в не привыкших к таким снегопадам городах Техаса замерла. Скоростные шоссе были закрыты. Школьники и служащие получили неожиданные каникулы. Все нормальные люди сидели по домам.

На второй день заточения Амелия и Ли готовили на кухне сливочную помадку. Стюарт вернулся с улицы совершенно замерзший, раскидав сено своему стаду. Он смотрел телевизор в гостиной, с нетерпением дожидаясь, пока лакомство будет готово. Мистер Диллон был сластеной, как и его сын.

— Ли, Чед будет любить тебя всю жизнь, если ты научишься ее делать. Этот парень может съесть целый фунт в одиночку, — говорила Амелия, опуская кусочек помадки в холодную воду. — Теперь смотри внимательно. В этом весь секрет. Ты должна убедиться, что помадка как следует застыла...

— Ли, Амелия, быстрее идите сюда, — позвал их Стюарт.

Что-то в его голосе заставило женщин забыть о помадке и бегом броситься в коридор. Первая мысль Ли была о том, что что-то случилось с Сарой, но одного взгляда ей хватило, чтобы увидеть ребенка, мирно спящего на ковре.

— Стюарт... — начала было Амелия, но муж ее прервал.

— Тс-с, слушай, — он указал рукой на телеэкран.

Диктор рассказывал о пожаре в Венесуэле, о том, что огонь продолжает распространяться и что с ним не могут справиться уже больше недели.

— Несмотря на все усилия специалистов из «Фламеко», огонь остановить не удается. Сегодня ситуация стала не просто серьезной, а критической, когда взорвалась цистерна с тысячами баррелей сырой нефти, стоящая в ряду других таких же цистерн. Соображения безопасности не позволили нашим операторам и журналистам подойти ближе, чем на две мили, поэтому подробности неизвестны.

Известно, что в результате взрыва пострадали люди, но пока мы не располагаем информацией ни о количестве пострадавших, ни о том, кто именно пострадал. Мы вернемся к этой теме, как только получим свежую информацию. А теперь продолжаем нашу программу...

Стюарт взял дистанционное управление и отключил звук. Ли, словно зачарованная, смотрела на женщину, выигравшую холодильник и прыгавшую от радости, пытавшуюся поцеловать ведущего телешоу и чуть не удушившую его шнуром от микрофона. Для Ли в этом ликовании было что-то непристойное... Можно ли так веселиться, когда люди обожжены, ранены или... умирают.

Диллоны были достаточно чуткими людьми и не стали утешать ее банальными фразами. Ли прекрасно понимала, как волнуются родители Чеда.

Потекли тоскливые часы. Никто не мог найти себе занятие, ни у кого не было желания есть, но, когда Амелия позвала к столу Стюарта и невестку, они откликнулись без промедления. Хоть какое-то занятие — сидеть за столом...

Когда вскоре после шести зазвонил телефон, все трое встревоженно переглянулись. Каждому хотелось увидеть выражение уверенности и покоя на лице другого. Стюарт, тяжело опираясь о костыль, пошел к телефону.

Он говорил спокойно, не повышая голоса, но Амелия и Ли поняли, что звонок касается Чеда. Когда Стюарт появился на пороге, их худшие опасения подтвердились.

— Чед ранен. И еще несколько человек тоже. Их самолетом переправили в Хьюстон. В общем, они уже скоро будут в больнице.

Ли зажмурилась. Она крепко сцепила пальцы, лежавшие на коленях.

— А больше ничего не известно?

— Я не знаю, что именно с ним произошло и насколько серьезно он ранен. Звонил чиновник из венесуэльского министерства. Его английский ничуть не лучше моего испанского. Мы можем позвонить в компанию, но не думаю, что в штаб-квартире на данный момент известно больше. Нам остается только...

— Нет! Я поеду туда, — заявила Ли и направилась к лестнице.

— Ли, — остановила ее Амелия. — Ты не можешь ехать. Неизвестно, что тебя там ждет. Я не отпущу тебя в Хьюстон одну. И потом, такая погода... — Засыпанные снегом поля говорили сами за себя. На ветках пеканового ореха застыл лед. — Дороги и аэропорты закрыты, ты только потеряешь время...

— Я поеду, — не отступала Ли. — Чед владеет самолетом. У него есть пилот. С ним я полечу в Хьюстон, даже если мне придется приставить пистолет к его голове. А у вас есть джип-грузовик, вы на нем сегодня целый день возили сено, — обратилась она к Стюарту. — На нем я смогу добраться до аэропорта. Не удерживайте меня, умоляю вас, я еду. — Она смотрела на Диллонов с непоколебимой уверенностью. Потом выражение ее лица смягчилось. — Прошу вас, помогите мне!

Ли увидела огни посадочной полосы, когда пилот пошел на посадку в частном аэропорту Хьюстона. Перелет был ужасным. Когда они летели сквозь снежную бурю, крылья самолета покрылись ледяной коркой. Никакого сочувствия к ней пилот не испытывал. Он все дорогу бормотал что-то об упрямых телках, у которых ума не больше, чем у летучей мыши. Его, казалось, нисколько не волновало, что Ли буквально сходит с ума от страха и тревоги, что ее чуть не выворачивало наизнанку каждый раз, когда самолет проваливался в воздушную яму. Только желание увидеть Чеда помогало Ли держать себя в руках и не поддаваться панике.

Снежная буря, бушевавшая в северо-западном Техасе, ближе к Хьюстону сменилась холодным дождем. Самолет приземлился, пробежал мимо ангаров с частными самолетами и подрулил к невысокому зданию терминала. Ли вцепилась в подлокотники сиденья и молилась, чтобы ее уже ждала машина с шофером. Стюарт обещал об этом позаботиться. Тогда она сможет немедленно отправиться в больницу. Она все равно может опоздать... Нет, с ним все будет в порядке, она не станет даже думать об этом.

Самолет наконец остановился, недовольный пилот выключил двигатели. Он снова сунул в рот сигару, которую Ли попросила погасить в полете, и объявил:

— Приехали.

— Спасибо. — Ли отстегнула ремень безопасности и пошла к трапу, который откинул для нее пилот. Она путешествовала налегке, взяв с собой только сумку с самыми необходимыми вещами. Она еще раз поблагодарила пилота, который помог ей спуститься. Тот буркнул что-то себе под нос и, сгорбившись под проливным дождем, направился к одному из ангаров.

Каблуки Ли гулко стучали по бетону. Она торопливо шла к освещенному зданию. Толкнув стеклянные двери, она подбежала к единственному служащему, которого она увидела в этом пустынном терминале.

— Я миссис Диллон. Меня кто-нибудь встречает?

Уборщик, близоруко щурясь, рассматривал ее с головы до ног, оценивая шубку из рыси и длинные вьющиеся волосы, струящиеся по спине.

— Вас встречают, говорите? Не знаю, не знаю. А что, кто-то должен был?

Подавляя желание вырвать у него метлу и огреть его по голове, Ли терпеливо сказала:

— Что ж, все равно спасибо. — Она прошла через зал и вышла на площадь. Никого. Только у обочины она увидела автомобиль.

Ли направилась к нему и заглянула в салон, но водителя на месте не было.

Она запаниковала. Где же шофер? Кто отвезет ее в больницу? Стюарт же обещал ей...

— Вы не меня ищете, мэм?

Сердце гулко забилось у нее в груди. Ли резко повернулась, шуба из рыси распахнулась, словно плащ матадора. Мужчина стоял в тени здания, прислонившись к стене. Если бы она не знала, не любила его, она бы пришла в ужас от его вида.

Его одежда выглядела просто кошмарно. Одна штанина джинсов была оборвана до колена, на ноге белел гипс, покрывавший его ступню и икру. На другой ноге был ковбойский сапог, заляпанный грязью и нефтью. Джинсовая куртка свободно висела на плечах, демонстрируя почти не застегнутую рубашку. Вокруг лба была повязана бандана. Рядом с ним у стены стоял костыль.

Ли уронила сумку на мокрый тротуар, сделала два шага на дрожащих ногах, а потом бросилась к нему.

— О господи, мой дорогой, Чед, как ты? Любимый, с тобой все в порядке?

— Потише, потише, не так быстро! Да, со мной все в порядке, и нет, я не ранен, если не считать сломанной голени.

— Слава богу, — выдохнула Ли. — Я думала... — Она прикоснулась к нему, провела по его телу руками, словно пытаясь убедиться, что он в самом деле цел и невредим. Сломанная нога уже не казалась ей опасной проблемой. Удостоверившись, что Чед ее не обманывает, Ли подняла на него глаза. Они долго смотрели друг на друга, безмолвно прося прощения и обретая его.

Пальцы Чеда накрыли ее ладони, лежащие у него на груди.

— Господи, как же я рад, что ты здесь.

Ли поднялась на цыпочки и поцеловала его. Его руки сомкнулись вокруг нее, крепко, до боли прижимая ее к себе.

— Моя дорогая, любовь моя, — успел он прошептать, их губы слились. Это был жадный поцелуй, в котором Ли почувствовала его желание, такое же острое, как и ее собственное. Этим поцелуем они снова клялись любить друг друга в горе и в радости, в богатстве и бедности, в здравии и болезни, пока смерть не разлучит их.

— Чед, — выдохнула Ли, отрываясь от его губ, — мы так волновались. Мы видели все в новостях, репортаж был просто пугающим. А потом нам позвонил государственный чиновник из Венесуэлы. Он сказал, что ты ранен и отправлен в Хьюстон, но больше не сказал ничего. Он едва говорил по-английски. — Ли вздохнула и торопливо продолжала: — Я жила у твоих родителей после того, как ты уехал.

Они не хотели меня отпускать одну в Хьюстон, но я должна была тебя увидеть. Я должна была знать, что с тобой, и быть рядом. Там у нас все занесло снегом, и мне пришлось...

— Я все знаю.

Его простое заявление оборвало монолог Ли на середине фразы. До этой секунды ей не приходило в голову спросить, откуда он узнал, что она прилетает.

— Ты знаешь?

— Около двух часов назад я позвонил домой. Отец сказал мне, как ты взяла там всех в оборот и наперекор всему отправилась ко мне.

Ли покраснела от смущения.

— Ты можешь потерять очень хорошего пилота. Я уверена, что он подаст заявление об уходе после той сцены, что я закатила у него дома. Он не хотел лететь, и я...

— Отец дословно пересказал мне твое выступление. Джил этого не переживет. Он позволил крошечной голубоглазой брюнетке запугать его. — Чед засмеялся, и Ли расцвела при звуке его глубокого теплого смеха. Как она без него скучала!

Ли дотронулась до его волос, ниспадавших из-под банданы.

— Что случилось?

Чед покрепче обнял ее.

— Ничего драматического! Какое у тебя миленькое манто! — проворчал он, меняя тему. Но Ли не попалась на крючок, и Чед вынужден был продолжить: — Я как раз выходил из зоны пожара, когда цистерна взорвалась. Инстинктивно, как и все остальные, я упал, ища укрытия. Но в канаву я свалился неудачно и сломал ногу.

— А что с остальными?

— Они все еще в больнице.

— Господи, Чед, ну конечно, — Ли оттолкнула его от себя. Теперь, когда прошла радость первой встречи, когда она испытала облегчение от того, что он жив, Ли сообразила, что муж ранен. — Да что такое с моей головой? Тебе нечего здесь делать. Ты должен оставаться в больнице.

— Именно это и пыталась мне сказать старшая медсестра. Она хотела дать мне успокоительное, но я от него отказался. Предложила вымыть меня губкой, я тоже отказался. И уж разумеется я отказался раздеваться. Никогда еще не видел женщины, столь одержимой желанием стащить с мужчины трусы.

— И как же выглядела эта медсестра? — поинтересовалась Ли, ее глаза потемнели от вспышки ревности. — Хорошенькая, живая, веселая?

— Живая — это да, но уродливая и с характером настоящего бойца, — ответил Чед, прыгая на здоровой ноге и пристраивая костыль под рукой. — Идем, — он подтолкнул

Ли к машине, передвигаясь с удивительной легкостью, несмотря на травму. — Прости, но тебе придется самой нести сумку. И перенести тебя через порог, как положено молодожену, мне сегодня тоже не удастся.

Ли засыпала его вопросами, повесив сумку через плечо:

— Куда мы едем? Ты сам сюда приехал? Ты можешь вести машину? Кому она принадлежит? Что мы собираемся делать?

— Отвсчаю по порядку: в ближайший отель, да, да, служащему компании «Фламеко», который мне кое-чем обязан, а это глупый вопрос.

— Но как же твоя нога? — возразила Ли, усаживаясь на переднее сиденье. — Ее же, наверное, нужно лечить.

— Что касается меня, то ты лучшее лекарство. — Отправив костыль на заднее сиденье, Чед завел мотор, а потом звучно поцеловал Ли. Его глаза сияли. — Ты должна мне одну брачную ночь и, хотя здесь и не Канкун, приготовься к медовому месяцу.

* * *

— Я так испугалась, Чед, — призналась Ли.

Они лежали на огромной кровати в свадебном номере-люкс отеля «Уорвик». Ли с радостью согласилась бы на менее роскошную обстановку, но Чед настоял на том, чтобы медовый месяц они провели как подобает. Ли догадывалась, что клеркам в вестибюле на год хватит тем для разговоров. Ожидая молодоженов, уехавших со свадебного торжества, они были изумлены, увидев, что у Диллонов совсем нет багажа. Новобрачный выглядел как человек, случайно уцелевший в смертельном сражении, а невеста была в джинсах, водолазке и шубе из рыси. Но Ли была уверена, что вышколенные служащие отеля никогда еще не видели такой счастливой пары, как мистер и миссис Чед Диллон.

— Ты все бросила, не позволила никому и ничему удержать тебя и прилетела ко мне, — сказал Чед. — Когда я говорил с отцом и он сообщил мне, что ты прилетишь сегодня вечером, я не мог в это поверить. И все-таки поверил. Я же сразу сказал тебе, что ты самая отважная женщина на свете, помнишь?

Ли играла с темными колечками волос на его груди. На ее предложение обтереть его губкой Чед с готовностью согласился. А потом, чтобы играть по-честному, он стоял рядом с ней, пока она принимала душ, и от души намыливал ее. Теперь они лежали, обнаженные, на широкой постели, впитывая романтическое настроение, которым был пропитан этот номер для новобрачных.

— Не храбрость привела меня к тебе, а любовь. Я хотела быть рядом с тобой. А вообще-то я ужасная трусиха!

Чед нежно провел пальцем по ее носу, спустился к краешку губ.

— Даже после того, как я оставил тебя в день свадьбы, ты хотела быть со мной?

— Ты должен был так поступить. Теперь я это понимаю. Да и тогда понимала, просто я впала в истерику. Прости меня за то, что я себя так вела, и за то, что я тебе наговорила.

— У тебя было на это право. — Чед притянул Ли к себе и поцеловал, жадно, страстно. — Я подал в отставку еще до того, как мы поженились.

Она недоуменно уставилась на него. Ее сердце забилось быстрее.

— Ты... подал в отставку?

— Да. Помнишь, я рассказывал тебе, что мы тренируем новичков? Мою отставку приняли, но при условии, что я помогу научить того, кто будет работать вместо меня. Я просил отпуск на месяц, чтобы жениться, — я планировал продолжительный медовый месяц, как ты догадываешься, — но когда начался пожар и мое начальство осознало, что это крепкий орешек, они поняли, что новые парни к этому еще не готовы. Единственный, кого я натаскал как следует, лежал на вытяжении со сломанной ногой.

— Почему ты не сказал мне об этом перед отъездом? — Ли тут же прикусила в досаде губу. — Я просто не дала тебе такой возможности, верно?

— Я должен был ехать, Ли. Прошу тебя, поверь мне.

— Я верю, — и она не лукавила.

— Но больше нам не придется расставаться. С этой ногой я какое-то время не смогу работать. К тому моменту, как она срастется, я смогу уйти из компании, зная, что мое место занял хорошо обученный человек. Так что я расстаюсь с «Фламеко».

— Я не могу просить тебя об этом, Чед.

Он улыбнулся.

— Прямо как с кроваткой Сары. Ты меня не просила. Я сам вызвался. — На его лице появилось торжественное выражение. — Я чертовски здорово проводил время, Ли. Моя работа доставляла мне огромное удовольствие. Немногие молодые мужчины могут похвастаться, что испытали такое. Я зарабатывал больше денег, чем мог потратить, но у меня хватило здравого смысла большую их часть вложить в дело, а не пустить на ветер. Я любил работу, связанный с ней риск, удовлетворение от того, что я спасал жизни людей. Я делал настоящую мужскую работу!

Чед практически повторял слова своего

отца, когда тот пытался объяснить Ли, за что он, Стюарт Диллон, любил свою профессию.

— Но тебя я люблю больше. Я больше люблю Сару и нашу с тобой совместную жизнь. Мотаться по всему миру с бригадой отчаянных парней и тушить пожары — это меня больше не привлекает. Я хочу основать свой бизнес поближе к дому, растить мою дочку, подарить ей еще братишек или сестренок, любить мою жену.

— Ты уверен, Чед? Я готова принять любое твое решение. Я не смогу жить в мире сама с собой, если буду считать, что не дала тебе возможности заниматься любимым делом.

Его усмешка и засверкавшие глаза должны были подсказать Ли, что разговор приобретает совсем другой оборот.

— Сейчас я скажу тебе, каким любимым делом ты не давала мне заниматься последние несколько недель.

Его рука скользнула под простыню.

— Я люблю делать вот это. — Его рука небрежно и в то же время настойчиво ласкала ее грудь. Движения были уверенными и легкими. — Мне нравится заниматься вот этим. — Его рука отбросила прочь простыню, его губы накрыли розовый сосок. — Ты знаешь, как сильно я тебя люблю, Ли? — спросил он. — Знаешь?

— Да, я это знаю. И я люблю тебя, — прошептала она, хотя слова давались ей с трудом. Его руки завладели ее телом, лаская спину, живот, бедра, влажные волосы между ними.

— Какая же ты сладкая, — выдохнул он, наслаждаясь ее возбуждением. — Я люблю тебя, Ли. С самого начала, с той самой минуты, когда ты безоглядно доверилась мне, я полюбил тебя. О, дорогая, прикоснись ко мне еще раз... Вот так... Это райское блаженство... Неземное наслаждение...

— Я так боялась, что с тобой что-нибудь случится и ты так и не узнаешь, насколько сильно я люблю тебя.

— Я никогда в этом не сомневался.

— О, Чед...

Как всегда, его прикосновение вознесло ее куда-то высоко, ближе к звездам, где существовали только их чувства и ничего больше. Он владел ее душой, ее сердцем, ее телом, и Ли сознательно отдала ему их. Она изгибалась под ласкающей ее рукой, ее уносил поток сладострастия.

— Чед? Но твоя нога? А как же гипс?..

— Все будет нормально, — заверил ее Чед и подвинулся еще ближе к ней. — Ты ведь не сомневаешься в этом, девочка моя?

— Не сомневаюсь, — рассмеялась Ли.

Литературно-художественное издание

САНДРА БРАУН.
МИРОВОЙ МЕГА-БЕСТСЕЛЛЕР

Сандра Браун

ТЕНИ ПРОШЛОГО

Ответственный редактор *В. Стрюкова*
Младший редактор *М. Гуляева*
Художественный редактор *В. Безкровный*
Технический редактор *М. Печковская*
Компьютерная верстка *И. Кобзев*
Корректор *В. Назарова*

В оформлении обложки использована фотография:
dpaint / Shutterstock.com
Используется по лицензии от Shutterstock.com

ООО «Издательство «Эксмо»
127299, Москва, ул. Клары Цеткин, д. 18/5. Тел. 411-68-86, 956-39-21.
Home page: **www.eksmo.ru** E-mail: **info@eksmo.ru**

Өндіруші: «ЭКСМО» ЖШҚ Баспасы, 127299, Ресей, Мәскеу, Клара Цеткин көшесі, 18/5 үй.
Тел. 8 (495) 411-68-86, 8 (495) 956-39-21
Home page: www.eksmo.ru . E-mail: info@eksmo.ru.
Қазақстан Республикасындағы Өкілдігі: «РДЦ-Алматы» ЖШС, Алматы қаласы,
Домбровский көшесі, 3»а», Б литері, 1 кеңсе. Тел.: 8(727) 2 51 59 89,90,91,92,
факс: 8 (727) 251 58 12 ішкі 107; E-mail: RDC-Almaty@eksmo.kz
Қазақстан Республикасының аумағында өнімдер бойынша шағымды Қазақстан
Республикасындағы Өкілдігі қабылдайды: «РДЦ-Алматы» ЖШС,
Алматы қаласы, Домбровский көшесі, 3»а», Б литері, 1 кеңсе.
Өнімдердің жарамдылық мерзімі шектелмеген.

Сведения о подтверждении соответствия издания
согласно законодательству РФ о техническом регулировании
можно получить по адресу: http://eksmo.ru/certification/

Подписано в печать 24.05.2013. Формат 80x100 $^{1}/_{32}$.
Гарнитура «Newton». Печать офсетная. Усл. печ. л. 14,81.
Тираж 5000 экз. Заказ 1657/13.

Отпечатано в соответствии с предоставленными материалами
в ООО «ИПК Парето-Принт», г. Тверь, www.pareto-print.ru

ISBN 978-5-699-65259-4

9 785699 652594 >